Für Oma und Bill, Weihnachten 1987

THIAU KOH CHANG

Eine Reise zu
Thailands Elefanteninsel
vor 20 Jahren

Bibliografische Information der Deutschen Nationalbibliothek
Die Deutsche Nationalbibliothek verzeichnet diese Publikation in der Deutschen Nationalbibliografie; detaillierte bibliografische Daten sind im Internet über dnb.d-nb.de abrufbar.

Thiau Koh Chang, April 1987
Erste Auflage 2009

Expeditionsleiter: Warren
Erzählung: Jill
Text: Chariya & Anne
Illustration: Jill

Fotos: Warren Brockelman (1987) & Alexander Heitkamp (2007)

Herausgeber: Alexander Heitkamp
Herstellung und Verlag: Books on Demand GmbH, Norderstedt
ISBN 978-3-837-07824-4

Inhalt

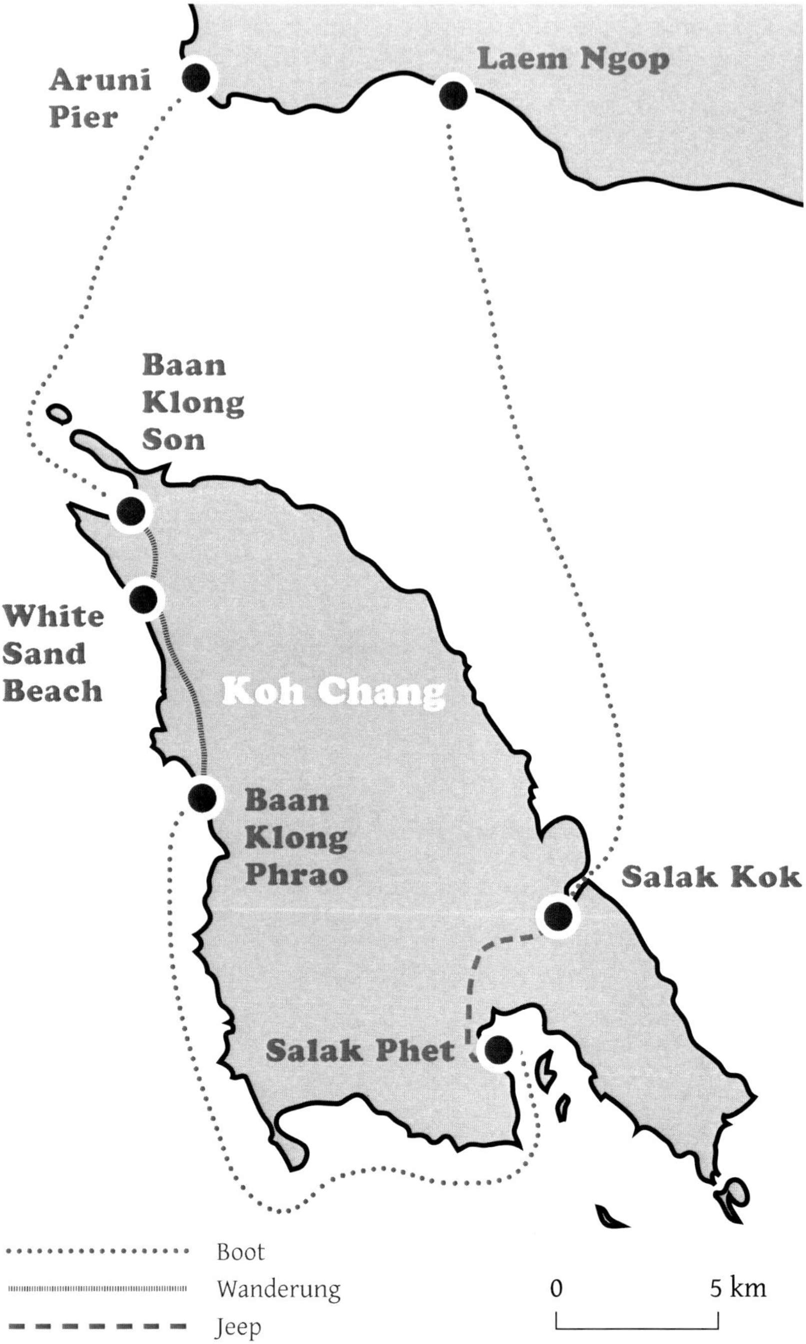
Aruni Pier
Laem Ngop
Baan Klong Son
White Sand Beach
Koh Chang
Baan Klong Phrao
Salak Kok
Salak Phet
Boot
Wanderung
Jeep
0
5 km

Vorwort

Kinder einer gemischten Ehe so aufwachsen zu lassen, dass sie sich in beiden Kulturen zuhause fühlen ist nicht einfach. Doch sie außerdem zu lehren, Natur und Tradition zu achten, ist eine wahre Herausforderung. Wie sollen Eltern ihren Kindern westliche und östliche Werte, sowie ein Umweltbewusstsein beibringen, ohne sie zu verwirren?

Dieses Buch handelt von meinen Töchtern Jill und Anne, die ein komfortables Leben als Großstadtmädchen in einer gut situierten Familie führten. Ihr amerikanischer Vater ist Ökologe, ihre Thai Mutter Biologin. Wir Eltern waren sehr darauf bedacht, unseren Töchtern die vielen unberührten Ecken Thailands zu zeigen und wie man dort trotz aller Entbehrungen und einem einfachen Lebensstil als Familie glücklich sein kann. Während der vielen Reisen unserer Familie bemerkte ich, wie Jill ihre eigene Art entwickelte, das Leben um sie herum wahrzunehmen. Ich beobachtete die Reaktionen der beiden Mädchen in unterschiedlichem Alter auf ein und dieselbe Umgebung und gab diese Beobachtungen weiter an ihre amerikanischen Stiefeltern, die so eine Vorstellung vom Aufwachsen ihrer Enkelkinder erhielten. Dieses Buch wurde ursprünglich als Weihnachtsgeschenk aufgeschrieben, nach einem Wanderurlaub auf Koh Chang, einer Inselgruppe vor Südostthailand.

Koh Chang ist heute eine der meistbesuchten Ferieninseln Thailands. Obwohl noch immer ein Nationalpark, hat eine feste Straße die Insel für immer mehr Touristen erschließbar gemacht. Die Campingplätze wurden durch zahlreiche Luxusresorts ersetzt. Die altertümliche Dorfidylle von 1987 ist heute meist verschwunden und wurde durch teure Touristenanlagen ersetzt. Doch die wuchernden, immergrünen Wälder über steilen Hängen und spitzen Berggipfeln beherrschen noch immer unsere Erinnerungen. Sie sind unvergesslich in unsere Vorstellung von Koh Chang eingebrannt.

Chariya Brockelman, März 2009

Von Bangkok nach Chanthaburi

»Wann sind eigentlich eure Osterferien?«, fragte Papa eines Tages beim Abendessen.

»Vom zehnten bis zum vierundzwanzigsten April«, antwortete Anne.

»Was haltet ihr davon, nach Koh Chang zu fahren und über die Ferien ein paar Tage wandern zu gehen?«, fragte er und sah Mama, Anne und mich an.

»Oh ja!« rief ich laut.

Vor zwei Jahren waren wir schon einmal auf Koh Chang gewesen, der Elefanteninsel. Ich erinnere mich noch gut an die Bootsfahrt vom Festland auf die Insel und die holprige Fahrt mit dem Motorrad die Küste entlang. Ich erinnere mich an unsere Klettertour hinauf zu einem großen Wasserfall und an unsere Wanderung durch den Dschungel, über einen Berg zu einem weißen Sandstrand. Leider waren wir dort zu kurz geblieben, um den Strand richtig genießen zu können.

An einem schwülen Tag im April schließlich stiegen wir in Papas blauen Bully. Die Fahrt schien ewig zu dauern. Die Nachmittagssonne schien mir direkt auf den Kopf. Wir öffneten alle Fenster, doch der Fahrtwind blies heiß auf meine Arme. Ich kletterte nach hinten auf die letzte

Bank, streckte mich und versuchte etwas zu schlafen. Als ich wieder aufwachte, hielt unser Bus gerade vor einem Restaurant am Straßenrand. Ich war froh als Papa sagte wir würden hier zum Trinken halten. Er bestellte eine Runde Limo und wir setzten uns und schlürften unsere eiskalten Getränke.

»Tageskarte«, las Mama laut vor, »Kobra in scharfer Chili-Soße, gebratenes Stachelschwein, Wildschweinsteak mit grünem Pfeffer.« Ich war froh, dass wir nicht zum Abendessen bleiben würden.

»Wie genau bereitet man Stachelschwein zum Kochen vor?«, wollte Mama wissen. »Wird es gehäutet oder muss man jeden Stachel einzeln entfernen?«

»Nun, wir machen das schon«, sagte der Ladenbesitzer geheimnisvoll.

Papa füllte unseren Eiskanister auf und ich war froh, dass Mama ein paar grüne Mangos am Fruchtstand holte. Sie wusste, dass Anne und ich die so gerne essen.

Wir stiegen wieder in den Bully. Auf der Weiterfahrt gab es nicht viel zu sehen. Papa sagte, die Gegend sei einmal ein dichter Dschungel gewesen, doch die Leute hätten alle Bäume gefällt um das Land zu bestellen. Dann sei der Boden trocken und fruchtlos geworden. Die Berge sahen kahl aus. Ich kann mich nicht erinnern, wann ich wieder eingeschlafen bin. Doch als ich aufwachte, war die Luft nicht mehr so heiß wie zuvor.

»Wie weit ist es noch bis Chanthaburi, Mama?«, wollte ich wissen. Mama sagte es seien noch vierzig Kilometer, also suchte ich nach den Kilometersteinen am Straßenrand. Die Steine zu zählen war mein liebstes Spiel für lange Autofahrten. Die Zahlen wurden immer kleiner und es war spannend zuzusehen wie sie herunterzählten, von zehn auf neun, acht, sieben, sechs, fünf, vier, drei, zwei, eins, und endlich sah ich das Schild auf dem stand: »Chanthaburi«. Wir waren endlich da!

Koh Chang ist Thai für Elefanteninsel. Eigentlich ist es sogar eine ganze Inselgruppe. »Die größte von ihnen hat einen Wasserfall mit einem Felsen, der aussieht wie ein Elefantenkopf«, hatte Papa bei unserem letzten Besuch erklärt. Die Inseln gehören zum Bezirk Trat doch Mama schlug vor die Nacht in Chanthaburi zu verbringen, wo wir auf jeden Fall ein ordentliches Zimmer mit sauberen Betten finden würden. Papa war einverstanden, da es bis nach Trat nur noch eine Stunde Fahrt sei, von wo wir ein Boot nehmen würden.

Nachdem wir unsere Koffer ins Hotelzimmer gebracht hatten gingen wir zum Abendessen an den Pier.

»Soll ich Stachelschwein bestellen?«, fragte Papa mit einem Grinsen.

»Zum Glück ist dies kein Wildtier-Restaurant«, bemerkte Anne, »und außerdem wolltest du doch Meeresfrüchte essen!«

Als wir zurück in die Stadt fuhren, war es bereits dunkel. Papa fuhr besonders langsam, damit wir die Nachtvögel beobachten konnten. Doch wir konnten keine sehen – nur eine tote Schlange auf der Straße. Wahrscheinlich wurde sie überfahren. Ich hoffte nur, sie würde nicht in einem Curry-Topf des nächsten Wildtier-Restaurants auftauchen ...

Als wir wieder im Hotel ankamen war ich erleichtert, dass wir ein zusätzliches Bett ins Zimmer gestellt bekommen hatten. Auf Reisen schliefen wir immer alle in einem Zimmer. Normalerweise schlief ich in Mamas Bett und Anne durfte im Extrabett schlafen. Jetzt war ich fast neun Jahre alt und groß genug für mein eigenes Extrabett. Doch da nicht genug Platz für zwei Extrabetten war, hoffte ich Anne würde mit Mama schlafen. Aber Anne war dreizehn und fast so groß wie Mama – das wäre also nicht gut gegangen.

»Warum schlaft ihr nicht zusammen in einem Bett?«, sagte Papa, »da ist genug Platz für euch beide!«

Ich fand es unfair, dass ich noch immer nicht mein eigenes Bett bekam. Die Matratze mit Anne zu teilen war sehr unangenehm. Sie zog ständig an der Decke und schob meine Knie und Ellenbogen weg. Wie sollte ich darauf achten, während ich schlief? Später, als ich schon fast eingeschlafen war, bemerkte ich erleichtert wie Mama mich zu sich ins Bett holte.

Auf zur Insel!

Am nächsten Morgen fuhren wir nach Trat. Nach einer halben Stunde Fahrt bog Papa plötzlich in eine Seitenstraße ein. Sie war anfangs ganz gut, doch kurze Zeit später wurde sie staubig und holprig. Warum mussten wir bloß hier entlang fahren? Die Schnellstraße hätte uns direkt nach Trat und an den Pier geführt.

»Vielleicht finden wir eine Abkürzung zum Ort der am nächsten zur Insel liegt«, erklärte Papa, »dann ist die Fahrt mit dem Boot nicht so lang«.

Anne und ich sahen uns an. Schon jetzt waren unsere Gesichter und Haare bedeckt vom roten Staub. Auch eine halbe Stunde später sahen wir noch immer kein Schild zu irgendeinem Pier. Mama studierte die Karte und stellte fest, dass wir die Abfahrt verpasst haben mussten.

»Warren, halte bitte an wenn du jemanden siehst. Ich werde nach dem Weg fragen«, sagte Mama. Sie betonte immer, die beste Methode um uns in Thailand zurecht zu finden sei unseren Mund zu benutzen. Papa sprach nicht gerne mit Fremden. Doch wir hatten keine Wahl: Auf solch kleinen Straßen gab es nun mal keine Wegweiser.

Schließlich bog Papa auf eine befestigte Straße ab. Nach ein paar weiteren Abzweigungen kamen wir an einen kleinen Hafen. Wir sahen Leute, die Krabben, Tintenfisch und alle möglichen Sorten Fische sortierten. Sie packten sie auf Eis um sie weiterzuschicken. Es gab riesige Berge mit ganz kleinen Fischen. Zuhause benutzen wir immer Fischsoße mit unserem Thaiessen. Nicht weit entfernt sahen wir eine Fabrik für Fischsoße. Mir war bisher nicht klar, dass diese kleinen Däumlinge mit Salz gemischt werden, dann vor sich hin faulen, bevor sie gekocht, geschleudert und in Flaschen gefüllt werden.

Mama versuchte gerade, ein Boot zu organisieren, als ein Mann sie und Papa ansprach.

»Ja pai nai? – wohin geht ihr?«, fragte er. Er sprach sehr gut englisch. Er empfahl Papa mit seinem Boss zu sprechen, wolle er auf der Insel zelten. Seinem Boss gehörten der Hafen und die Fabrik. Es wäre sicherer für uns, als Freunde seines Chefs auf die Insel zu fahren, meinte er.

»Euch wird schon niemand etwas tun, doch man sollte immer vorsichtig sein. Letzten Monat sind zwei Farang mit dem Schnellboot auf die Insel gefahren. Sie haben am Strand gezeltet. Als sie morgens aufwachten, waren zwar das Boot und alle ihre Sachen noch da, aber der Motor war gestohlen!«

Ich musste lachen als ich mir zwei Farang vorstellte, die versuchen mit ihrem Motorboot ohne Motor zum Festland zurück zu paddeln.

Wir mieteten ein Fischerboot und begannen endlich unsere richtige Reise zur Insel. Das Meer war sehr blau und flach und wir konnten schon den Strand auf der Insel sehen, nicht besonders weit entfernt.

»Wir brauchen keine Angst haben Schiffbruch zu erleiden«, sagte Papa, »wir sind nicht einmal auf offener See«. Ich war keine Spur besorgt. Als wir unsere Rucksäcke packten, sollten wir unsere Kleider zuerst in eine Plastiktüte legen. Papa verschloss diese dann mit Klebeband, bevor er sie in unsere Taschen packte.

»Falls unser Boot kentert, treiben eure Taschen so auf dem Wasser, wo wir sie einsammeln und an Land schwimmen können« erklärte er Mama, die etwas besorgt war mit uns Kindern auf solch einer Reise. Ich wusste, dass sie zwei Schwimmwesten in ihrer Schultertasche trug.

»Es ist Ebbe. Wollt ihr über ein paar Felsen klettern, um trocken an Land zu gehen oder soll ich euch am Strand rauslassen von wo ihr schwimmen könnt?«, rief der Bootsmann von Achtern.

Es war eine kurze Überfahrt. Wir konnten die Insel schon ganz nah sehen. Die Küste war mit Kokospalmen gesäumt. Der Steuermann versuchte, möglichst nah an den Strand zu lenken. Als Papa als erster ins Wasser sprang ging ihm das Wasser bis zur Hüfte!

»Ich werde bis zur Brust im Wasser stehen und mein Rucksack wird durchnässt!«, sagte Mama dem Bootsmann. Also versuchte er, noch näher an den Strand zu fahren. Das Wasser wurde immer flacher und ich konnte die Korallen, Fische und Muscheln sehen. Ich wollte sie am liebsten alle einsammeln und so zögerte ich kein bisschen als Mama sagte: »Jill, spring doch schon mal rein und schwimm an Land. Ich werde deine Tasche nehmen.«

Was für ein tolles Gefühl, mit allen Klamotten in das klare Wasser zu springen!

Baan Klong Son

Die Sonne brannte vom Himmel und ich beschwerte mich über Papas schnelles Tempo. »Lass uns zu den australischen Pinienbäumen dort drüben gehen«, sagte er, »die sind schön schattig«.

»Dort können wir trocknen«, ergänzte Mama. Erst da bemerkte ich wie nass ihre Hosen waren. Uns tropfte der Schweiß und waren froh über eine Rast um unsere Klamotten zu trocknen.

»Ich habe Durst« sagte ich halb im Scherz da ich wusste es wird nichts zu trinken geben bis wir das Dorf erreicht haben.

»Du kannst dir die Milch mit Anne teilen«, sagte Mama und hielt mir eine kalte Tüte Milch hin. Sie hatte immer tolle Überraschungen für uns wenn wir unterwegs waren. Doch sie sagte dies wäre wohl die letzte kalte Milch die wir auf Koh Chang zu trinken bekommen würden.

Nach einer kurzen Rast liefen wir langsam den Strand entlang in Richtung des nächsten Dorfes. Dort würden wir zu Mittag essen. Es war toll, so viele Muscheln und Sanddollars zu sehen. Während wir wanderten, wurde der Sand sehr fein und weich und wurde schließlich etwas matschig. Winkerkrabben liefen umher. Schlammspringer sahen uns überrascht mit ihren großen, runden Augen an um dann erschrocken davon zu hüpfen. Meine Füße sanken in den Matsch. Als ich meinen rechten Fuß hochzog, blieb mein Flipflop stecken. Ich steckte meinen Fuß wieder hinein, um ihn mit dem Fuß hochzuziehen, während mein linker Fuß weiter versank. Als ich endlich meine Flipflops gerettet hatte, war ich bis zu den Ellenbogen und Knien mit Matsch bedeckt. Doch Papa versank noch tiefer! Er war der schwerste von uns und hatte in seinem großen blauen Rucksack das meiste Gepäck auf dem Rücken.

»Geht nach links«, versuchte er uns zu dirigieren, »Nein, nein, nicht ganz so weit! Folge dem Steinweg.« Doch der Boden sah überall gleich matschig aus, egal wohin wir traten. Warum konnten wir nicht einfach mit dem Motorrad zum Ort fahren, so wie bei unserem letzten Besuch!

Endlich erreichten wir das erste Haus des Dorfes. Eine junge Frau nahm gerade eine Dusche vor dem Haus mit Wasser aus einem langen Schlauch. Sie gab uns den Schlauch, damit wir uns den Matsch abwaschen konnten. Wir wuschen uns so gut es ging und zogen unsere Turnschuhe an.

Wir aßen zu Mittag in einem Haus, das Mama das »Dorf-Restaurant« nannte. Es war ein mittelgroßes Haus auf Stelzen mit einer großen Veranda, auf der Nudelsuppe serviert wurde. Wir zogen unsere Schuhe aus und kletterten die Leiter hinauf zur Veranda. Es gab nur zwei Tische, jeweils mit vier Stühlen. Der Fußboden aus weichen Holzplanken war sehr sauber.

»Das war nur der erste Teil um euch zu testen. Wir sind nur einen Kilometer gelaufen«, sagte Papa. Anne und ich waren so durstig, dass wir gleich drei Flaschen Limonade tranken. Papa bat um Eiswürfel und die Ladenbesitzerin öffnete eine große Metallkiste voll Sägemehl, aus der sie einen Eisblock holte. Sie wusch das Sägemehl und die Reishülsen vom Eis und schnitt den Block mit einem großen Messer geschickt in gleich große Eiswürfel.

»Tja, das wird wohl unser letztes eisgekühltes Getränk für die nächsten vier Tage«, sagte Mama.

»Diese Nudelsuppe könnte auch unser letztes warmes Mahl auf der Insel werden«, fügte Papa hinzu. Seltsam, nach Koh Chang zu kommen und all die guten Dinge aufzugeben, die wir zuhause hatten, dachte ich.

Verlaufen!

Der richtige Teil unseres Marsches begann direkt nach dem Mittagessen. Als wir daran vorbei liefen, erinnerte ich mich an das letzte Haus des Dorfes. Bei unserem letzten Besuch saßen noch ein paar Hunde davor, die uns böse ankläfften. Wir hielten auf die Berghänge zu. Ich ahnte bereits, was uns erwartete: Eine halbstündige Klettertour zur Spitze des Hügels und eine weitere halbe Stunde wieder hinunter auf der anderen Seite. Hat Sai Khao, oder Weißer Sand Strand mit seinem glitzernd blauen Wasser würde auf der anderen Seite auf uns warten, nachdem wir den Abhang hinunter geklettert waren.

»Diesmal werden wir etwas länger brauchen, weil wir so beladen sind«, kündigte Papa an, »ich bin froh wenn wir es in anderthalb Stunden schaffen«. Er sah rüber zu Mama, die zwei Taschen trug. Auf dem Rücken hatte sie einen großen Rucksack, in dem außer einem Schlafsack auch ein Moskitonetz aus Baumwolle war, sowie Kleidung und Essen. Auf der Brust trug sie einen kleineren Rucksack, der sonst meine Schultasche war und nun leicht erreichbar Früchte, Snacks, einen Regenschirm, ein Fernglas und Mamas Geldbörse hielt.

»Mach dir keine Sorgen, Warren, mein Gewicht ist gut verteilt«, versicherte sie ihm.

Papa führte uns an, immer weiter den Berg hinauf. Anne lief hinter ihm, ich folgte ihr mit Mama in meinem Rücken.

Ich sah ein paar Bäume, deren Rinde an manchen Stellen aufgeschnitten war. Das Schnittmuster sah aus wie eine Reihe von V-Buchstaben übereinander. An der Spitze des untersten Vs steckte eine kleine Abflussrinne aus Metall im Baum. Weißer Saft quellte aus den Schnittkanten, ganz unten hing eine Kokosnussschale am Stamm.

»Das sind Kautschukbäume«, erklärte Mama, »die Männer kommen noch vor Sonnenaufgang zur Ernte des Saftes da er dann am besten fließt. Sie machen dazu zwei frische Schnitte über denen hier und der Saft wird die Rinne entlang in die Kokosnuss fließen.«

»Warum müssen sie die Bäume so verletzen?«, wollte ich wissen.

»Aus dem Saft wird Gummi gemacht, zum Beispiel für die Sohlen deiner Flipflops.«

Wir hielten an für eine kleine Erfrischung aus Papas Feldflasche. Mama wollte nicht trinken, da die Flasche nur noch halb gefüllt war. Sie sagte, wir würden in einer halben Stunde auf einen Bach treffen. Wir stiegen weiter den Berg hinauf, bis wir eine Lichtung erreichten. Jemand hatte ein Lager aufgeschlagen und aus frisch gezimmerten Brettern ein Podest gebaut. Vier Seile waren an Bäume gebunden und ergaben einen perfekten Rahmen um das Podest. Das Dach war eine schwere Plane, die vom Rahmen hinunter hing. Es war das perfekte Spielhaus. Niemand schien in der Nähe zu sein, also setzten wir uns auf den Rand des

Podestes und schauten uns um. Am anderen Ende der Plattform stand ein gläserner Krug mit Regenwasser. Als ich ihn mir näher ansah, konnte ich zwei tote Kröten darin treiben sehen. Ich beschloss, sie in Ruhe zu lassen.

Nach einer Weile hörten wir ein Geräusch wie das eines Lasters. Mama machte ein überraschtes Gesicht.

»Wie kann hier ein Laster herkommen?«, fragte sie. Papa sagte, jemand versuche offensichtlich, einen großen Baum mit einer Kettensäge zu fällen.

»Seid ihr ausgeruht? Wir gehen lieber weiter!« Wir sammelten unsere Rucksäcke ein und marschierten weiter. Von unserem letzten Ausflug hierher wusste ich, dass wir bald einen Abhang hinunter klettern würden und auf einen Fluss vor uns stoßen würden, der am Rand des Waldes verlief. Von dort war der Strand nur zehn Minuten entfernt!

Als wir nach dem Pfad nach unten suchten, erschien der Wald irgendwie anders. Dann sagte Papa wir sollten anhalten und warten. Er würde seinen schweren Rucksack bei uns lassen und sich schnell nach dem Weg umsehen. Als er wieder zurückkam, sagte er zu Mama dass wir wohl eine andere Abzweigung genommen hätten und nun auf dem falschen Weg seien.

Wir gingen zurück in Richtung des Kettensägen-Lärms und ich sah drei Männer, wie sie den größten Baum fällten, den ich je gesehen habe. Papa ging zu ihnen und fragte sie nach dem Weg zum Strand.

»Geht hier rechts bis ihr zum Felsgrat kommt. Lauft an ihm entlang bis zu einer Lichtung. Dort biegt ihr rechts ein auf einen Weg, der euch direkt zum Strand bringt«, erklärte einer der Männer.

Papa bedankte sich und führte uns nach rechts in die Richtung, die der Mann uns angezeigt hatte. Wir liefen querfeldein durch Bäume, Büsche und Palmen. Der Wald wurde lichter. Wieder kamen wir an Kautschukbäumen vorbei, doch von einer Abzweigung keine Spur. Meine Tasche wurde schwerer und schwerer, doch ich konnte nicht erkennen, ob wir noch auf dem Gebirgskamm liefen oder nicht.

»Wartet hier!«, rief Papa noch mal und war auch schon verschwunden um den Weg zu erforschen. Als er zurückkehrte, tranken wir alle etwas Wasser und machten uns wieder auf den Weg. Wir wanderten und wanderten. Ich hörte Anne seufzen. Mama war sehr still und ich war müde. Ich war froh als Mama endlich etwas sagte.

»Bitte, Warren, lass uns nicht weiter nach dem Weg zum Strand suchen. Bringe uns einfach nur von hier weg. Wir können zum Dorf zurückgehen und dort übernachten.“ Papa war einverstanden! Er stellte seinen Rucksack ab und hieß uns zu warten. Diesmal nahm er die Karte und seinen Kompass um einen Ausweg zu finden. Ich wurde richtig durstig und Anne begann, sich Sorgen zu machen.

»Müssen wir heute im Dschungel übernachten?«, fragte sie vorsichtig. Doch Mama war guter Laune und packte drei grüne Mangos aus, die sie sofort schälte. Immerhin hatten wir etwas zu essen! Eigentlich sind grüne Mangos ziemlich lecker und sauer. Anne und ich mögen sie besonders dann, wenn wir wie jetzt sehr durstig waren.

»Nun, wir haben alles was wir brauchen. Wenn es sein muss können wir auch hier unser Zelt aufschlagen und übernachten«, sagte sie.

Es kam uns wie eine Ewigkeit vor bis Papa wieder zu uns kam. Er ruhte sich aus, aß etwas von der Mango und führte uns dann direkt zurück zum Dorf.

Dorfbewohner

Wir hielten wieder an demselben Laden, an dem wir zu Mittag gegessen hatten. Ich war glücklich über ein paar eiskalte Getränke nach dem langen Marsch. Die Verkäuferin war verwundert uns am selben Tag wieder zu sehen, hatten wir ihr doch erzählt wir wollten um die gesamte Insel wandern! Wir mussten zugeben, dass wir wieder da waren weil wir den Weg nicht finden konnten.

»Ihr hättet hier warten und mit den Kindern gehen sollen«, sagte sie. »Sie sind nur zehn Minuten nach euch zum Schwimmen am White Sand Beach aufgebrochen«.

»Wir könnten die Nacht im Tempel verbringen«, schlug Papa vor, »lasst uns hingehen und die Mönche fragen«. Wir sammelten unsere Sachen ein und folgten Papa zum Dorftempel. Vier kleine Hundebabys liefen uns hinterher. Ich blieb stehen und spielte mit ihnen, weil sie so süß waren. Unter einem Haus kamen weitere Hundebabys zum Vorschein. Insgesamt waren es elf, sie waren von zwei Hündinnen. Fünf waren komplett braun, die anderen sechs weiß oder weiß mit schwarzen Flecken. Ich wollte Mama nicht verlieren, also lief ich schnell hinter ihr her. Alle elf Hunde folgten mir auf das Tempelgelände. Es war toll, so viele Hundebabys liefen um mich herum. Leider tauchte plötzlich die Hundemutter aus dem Nichts auf und Mama rief mir zu, nicht zu nahe zu den Babys zu gehen, da den Hundemüttern das vielleicht nicht gefallen könnte.

»Maa jak nai – woher kommt ihr?« fragte der Tempelvorsteher. Er arbeitete gerade im Garten als wir im Tempel ankamen. Er sagte wir könnten über Nacht bleiben, in einem Gästezimmer nahe den Mönchsquartieren. Ein Mann und eine Frau, die gerade mit dem Abt sprachen, luden uns ebenfalls zum Übernachten in ihr Haus ein.

»Wir haben ein großes Haus in unserer Durianplantage mit viel Platz zum Schlafen für euch und die Mädchen«, versicherte die Frau. »Die Kinder sehen müde aus«, fuhr sie fort, »gebt mir eure Taschen, ich lege sie in meinen Schubkarren.« Welch eine Erleichterung, ohne unsere Taschen durch die Gegend laufen zu können!

Ich war froh im Haus zu übernachten. Ich entdeckte sofort zwei Kaninchen in einem Stall auf der Veranda. Zwei weitere hoppelten frei um den Käfig herum! Sie waren doppelt so groß wie Anne und ich vor ein paar Wochen welche vom Markt gekauft hatten. Sie kauten ununterbrochen auf ihrem frischen, grünen Grasbüschel herum.

Der Hausbesitzer, sein Name war Prayuun, wohnte in dem Haus mit seiner Frau Som und ihren drei Kindern. Wir waren sehr beeindruckt von ihrer Freundlichkeit und Hilfsbereitschaft. Prayuun hievte seine Pumpe auf den Karren und schob ihn zum Brunnen etwa hundert Meter entfernt und begann damit die Aluminiumtonnen und Wasserbehälter im ganzen Haus aufzufüllen. Er goss auch den Garten und spritzte dabei die Kinder nass. Sie lachten und genossen das Wasser wie Frösche im Regen. Mama fand später heraus dass sie diesen Spaß nur einmal pro Woche haben konnten, da das Benzin für die Pumpe viel zu teuer war. Der Tag unseres Besuchs war nicht ihr gewöhnlicher Wassertag, doch sie haben die Pumpe extra für uns angemacht.

Es gab auf der Plantage zwei Häuser. Dieses, in dem die Familie lebte, war auf Baumstämme gestellt und fast komplett aus Holz gebaut. Ein anderes Haus in der Nähe hatte Betonsäulen und zwei Stockwerke. Es hatte ein Dach und Fußböden, doch fehlten ihm noch Wände, Fenster und Türen. Prayuun hoffte, es in zwei Jahren fertig bauen zu können, wenn sie mehr Geld hatten.

»Das neue Haus wird schöner und geräumiger mit vier Schlafzimmern. Ihr müsst uns dann wieder besuchen kommen«, sagte er. Er gab uns ein kleines Zimmer im unteren Stockwerk des neuen Hauses. Es hatte drei Wände und einen sauberen Fußboden und eine Toilette ganz in der Nähe. »Dies ist Michaels Zimmer. Er schläft am liebsten hier, wenn er da ist. Ihr könnt gerne seine Matratze benutzen«, sagte Prayuun.

»Michael?« fragte Papa.

»Ja, Michael, mein Schwiegersohn«, sagte Prayuun stolz, und fuhr fort, »Ihr seid doch Michaels Freunde, richtig? Michael sagte mir, dass sein Nachbar in England mit einer Thai verheiratet sei. Sie hätten zwei Kinder.«

Gäste vom Land

Wir hatten Michael auf unserer Reise nach Koh Chang vor zwei Jahren getroffen. Damals hatten wir im Hauptquartier des Nationalparks übernachtet. Papa wollte natürlich die anderen Dörfer der Insel sehen, also überredete er zwei Wildhüter, uns auf ihren Motorrädern nach Baan Klong Son zu fahren. Ich war sehr klein für mein Alter und konnte so gemütlich auf dem Benzintank vor dem Fahrer sitzen, während Papa hinter ihm saß. Anne und Mama fuhren auf dem anderen Motorrad mit. Sie mussten sich auf den Rücksitz drängen und Mama gab später zu, dass sie nie zuvor in ihrem Leben eine solch nervenaufreibende Fahrt erlebt habe. Jedes Mal wenn wir die holprigen Feldwege bergauf fuhren, fürchtete sie, gleich vom Sitz zu rutschen!

Nach zwei Stunden auf den Motorrädern erreichten wir ein Fischerdorf. Wir waren überrascht, einen Farang unter den einheimischen Dorfbewohnern zu finden. Er fiel auf, trotz der schwarzen Fischerhosen die er wie alle anderen trug. Papa unterhielt sich eine Weile mit ihm. Sein Name war Michael, er war aus Nordengland, wo es sehr feucht und kühl ist.

»Ich bin Maurer. Im Winter gibt es nichts zu tun, also komme ich für vier Monate im Jahr hierher«, erklärte er uns.

»Gehst du mit den Dorfbewohnern fischen?« fragte Papa ihn.

»Nein, aber ich helfe beim Kokosnüsse schälen«, sagte er stolz.

Jetzt, in Prayuun Haus, schwante mir langsam, dass Prayuun zu gastfreundlich zu uns war. Aber es war zu spät ihm zu erklären, dass wir Michael nur kurz kennen gelernt hatten und dass das nicht in England war. Prayuun wäre wahrscheinlich sehr verletzt, wenn wir ihm sagen würden, dass wir Michael in Wirklichkeit gar nicht besonders gut kennen, sagte Mama. Abgesehen davon seien Dorfleute in Thailand generell freundlich zu Fremden, egal ob sie Freunde oder Verwandte seien.

»Wie hält es ein Mädchen aus Koh Chang in England aus, wenn sie nie woanders gelebt hat, nicht einmal in Bangkok!«, wunderte Papa sich laut als wir alleine waren.

Eine Öllampe flackerte im Dunkeln. In ihrem Licht konnte ich eine Schale Reis erkennen, und Schalen mit Essen. Der Duft von frisch gekochtem Reis stieg mit dem Dampf auf, als Som den Topf öffnete. Es gab ein weiches, goldenes Omelette mit Fischsoße. Ich genoss es, mein Loch im Bauch mit dem guten Essen zu füllen. Noch während ich aß hörte ich Mama, wie sie Prayuun und seine Familie aufforderte, mit uns zu essen. Doch sie sagten immer wieder: »Bitte esst, wartet nicht auf uns, wir essen normalerweise viel später«. Mama bestand darauf, dass auch sie aßen.

»Wir sind noch nicht hungrig. Wir haben sehr spät zu Mittag gegessen«, antworteten sie.

Später erklärte Mama uns, dass sie den ländlichen Brauch ganz vergessen habe, nach dem Gastgeber erst nach ihren Gästen aßen. Sie würden uns ihr bestes Essen geben, serviert mit ihrem besten Geschirr und Besteck und dann sitzen und auf uns warten. Nach ihrer Ansicht wäre es unhöflich gewesen, mit uns zu essen, da wir eben nicht nur andere Einheimische aus demselben Dorf waren.

Nach einem köstlichen Nachtisch mit Bananen und Wassermelonen aus Prayuuns Garten kam die gesamte Familie zusammen um mit uns zu reden. Ein Vierjähriger ging direkt auf Papa zu, der im Schneidersitz auf dem Boden saß. Der Kleine umarmte ihn, legte sich dann auf den Boden und legte seinen Kopf auf Papas Schoß! Papa sagte, dass der Junge vielleicht Michael besonders gern mochte und ihn verwechselte. Alle Farang sehen in den Augen der Thais gleich aus, jedenfalls gelte das besonders für Kinder.

»Der Junge ist mein Enkel«, sagte Som.

»Wo sind seine Eltern?«, fragte Mama.

»Seine Mutter ist meine Tochter und verheiratet mit Michael. Wenn sie uns das nächste Mal besuchen kommen, werden sie den Jungen mit nach England nehmen«, erklärte uns Som. »Bis dahin kümmere ich mich um ihn«.

Ich bemühte mich, das zu verstehen. Wie konnte der Junge ihr Enkel sein, aber nicht Michaels Sohn, und warum hatte seine Mutter ihn nicht gleich mitgenommen?

Wir gingen in Michaels Quartier denn Mama wollte das Moskitonetz über die Matratze hängen. »Es nimmt ein Drittel meine Tasche in Anspruch, also sollten wir es auch benutzen«. Dann sagte sie leise zu Anne: »Es ist neu und sauber«.

Ich war so müde, ich konnte es kaum abwarten dass Papa unsere Schlafsäcke auf der Matratze ausgebreitet hatte. Ich war schon eingeschlafen als ich hörte: »Jill, Zähne putzen!«. Doch warum sollte ich mir die Zähne putzen, mitten in der Nacht, mitten im Dschungel? Abgesehen davon, wen störts?

White Sand Beach

Wir frühstückten gerade, als zwei Dorfleute uns aufsuchten. Der Mann sagte, er habe gehört wir hätten versucht zum White Sand Beach zu wandern und fragte, ob wir uns ihm anschließen wollten. Er würde über den Berg gehen um ein paar wilde Fruchtbäume zu kontrollieren. Er trug eine große Axt und einen Leinensack. Die Frau wollte ihre Verwandtschaft im Dorf am Strand besuchen. Sie hatte eine Wasserflasche aus Plastik dabei. Papa wunderte sich nicht über das Angebot der beiden, uns zu begleiten.

»Das ganze Dorf muss mitbekommen haben, dass wir uns gestern im Dschungel verlaufen haben«, sagte er. Wir beendeten schnell unser Frühstück, bedankten uns bei unseren Gastgebern und verabschiedeten uns. Mama versuchte, Som etwas Geld zu geben, doch sie lehnte ab. Doch als Mama sagte, sie solle es behalten um etwas Reis bei unserem nächsten Besuch zu kaufen, nahm Som das Geld an.

Wir packten unsere Sandalen ein und schlüpften in unsere Schuhe. Mama betrachtete ihre Wanderschuhe, dann die Flipflops unserer beiden Führer und sagte: »Es wird eine richtig gemütliche Wanderung für sie!«

UnsereWanderungstarteteaneinemKokospalmenhain. Der Boden war mit weißen Lilien bedeckt, genau die Sorte, die Mama immer vergeblich versuchte zuhause zum Blühen zu bringen. Hier hatte jede Pflanze mindestens zehn Blüten. Als wir den Wald erreichten, ging es einen steilen Hang hinauf. Die Frau ging vor, Papa folgte als nächstes, dann Anne ich und Mama hinter mir, Der Mann ging ganz hinten.

»Wozu brauchen Sie eine solch große Axt?«, wollte Mama wissen. »Um Durian zu schneiden? Ich kann hier nirgendwo Durianbäume sehen.«

»Nein, ich suche nach Samrong-Bäumen«, antwortete der Mann. »Wenn ich einen mit Früchten finde, muss ich den Baum fällen, da sie zu weit oben hängen«, erklärte er.

»Tatsächlich, eine sehr interessante Art, Früchte zu ernten!«, hörte ich Mama sagen. Und sie fuhr fort: »Gibt es denn genug Samrong-Bäume für Sie, dass Sie jedes Mal den ganzen Baum fällen können?«

»Nein, es gibt nur noch wenige in dieser Gegend. Aber es werden neue wachsen und die alten ersetzen«, versicherte der Mann.

»Wie viele Jahre dauert es, bis so ein Samrong-Baum wächst und Früchte trägt?«, drängte Mama weiter.

»Etwa dreißig Jahre«, antwortete der Dorfbewohner.

»Angenommen, Sie klettern den Stamm hoch und pflücken die Früchte. Wäre es nicht schön, wenn sie im nächsten Jahr wiederkommen und mehr Früchte vom selben Baum pflücken könnten?«, schlug sie vor.

»Das stimmt«, sagte der Mann, aber schien nicht sonderlich überzeugt, denn er fügte hinzu: »Doch nächstes

Jahr wird dann jemand anderes kommen, den Baum fällen, und die Früchte vor mir ernten«.

Nachdem wir den steilen Hang auf der anderen Seite wieder hinuntergeklettert waren, machten wir einen letzten Halt an einem Bach. Papa füllte unsere Feldflasche auf während Mama uns was Süßes zu essen gab. Es war mein liebster Moment einer jeden Wanderung: Wir durften ganz viele Bonbons essen, um schnell wieder zu Kräften zu kommen. Ach, wie könnte ich solche Bonbons zu Hause gebrauchen!

Plötzlich war da White Sand Beach, direkt vor uns. Es war der weißeste, sauberste Strand auf dieser Seite der Insel. Das Wasser war außerdem extrem klar. Wir bedankten uns bei unseren Führern und rannten zu einem Baum, der seine tiefen Äste über den Korallensand in Richtung Wasser streckte. Wir zogen sofort unsere Badesachen an und sprangen ins Meer. Das Wasser war kühl und salzig. Ich genoss das Gefühl von Salzwasser in meinem Mund. Es war Ebbe und das Meer war ruhig. Wir konnten umher schwimmen wie in einer riesigen Badewanne. Fischschwärme schwammen an uns vorbei, und manche sprangen aus dem Wasser in die Luft. Unsere Anwesenheit muss sie sehr überrascht haben.

Das Salzwasser fing an in meinen Augen zu brennen, also beschlossen wir, Muscheln sammeln zu gehen. Es gab viel mehr interessante und bunte Muscheln als wir sammeln konnten. Wir fanden Muschelhörner, Strandschnecken und sogar ein paar Einsiedlerkrebse. Wir sortierten unseren Fang noch mal und behielten nur die schönsten. Papa sagte, wir sollten zu Mittag essen und bald weiter gehen.

»Weiter gehen?«, wiederholten Anne und ich im Chor. »Werden wir hier nicht übernachten?«

»Nun, das war unser eigentlicher Plan«, sagte Papa, »doch wir haben schon eine Nacht verloren. Wir sollten lieber noch heute nach Baan Klong Phrao weiter gehen, oder wir werden die Inselumrundung nicht in vier Tagen schaffen«.

Wir aßen an der Stelle unter dem Schatten des Baumes zu Mittag, die ich schon als unseren Übernachtungsort erkoren hatte. Mama verteilte Brot, Thunfisch aus der Dose, Kekse und Käse. Mir machte es nichts aus nur rationierte Portionen zu bekommen, da es genug für alle war um satt zu werden. Sie rechnete immer aus, wie viel Proviant wir brauchen würden, um kein unnötiges Gewicht schleppen zu müssen. Käse und Kekse waren besonders lecker, die besondere Marke, die Mama immer für unsere Wanderung mitnahm. Der Käse war eingepackt in kleine Stücke in Folie und musste nicht im Kühlschrank aufbewahrt werden. Papa sagte, er sei ein wunderbarer Ersatz für Fleisch und Fett. Käse wird in Thailand nicht hergestellt, deshalb gab es ihn nur zu besonderen Anlässen. Jedenfalls war Käse auf allen unseren Wanderungen ein Standard-Mittagessen.

Papa musste zum Bach im Wald zurückwandern, um frisches Trinkwasser zu holen. Wir waren alle sehr durstig und die Feldflasche schien uns zu klein für alle. Mama hatte noch eine kleine Plastikschale dabei und gab sie Papa, damit er sie mit Wasser füllen konnte.

»Seht her, Mädchen, was ich für euch habe!« Mama zeigte uns vier kleine Umschläge mit dem Abbild einer Frucht darauf. »Fruchtsaftpulver in vier verschiedenen Geschmacksrichtungen – sucht euch eine aus!« Es gab Erdbeere, Orange, Trauben und Melone. Ich nahm Trauben und Anne suchte sich Erdbeere aus. Wir lösten das Pulver in unseren Plastikbechern und tranken den Saft langsam, um ihn möglichst lange genießen zu können.

Als wir aufbrachen, war die Ebbe so weit fortgeschritten, dass wir im seichten Wasser wandern konnten. Ich zog meine Turnschuhe aus und lief barfuss im weichen, weißen Sand. Sanfte Wellen trieben Quallen an den Strand und manche wirkten als lebten sie noch. Sie sahen aus wie kleine Regenschirme, von denen gewellte Fäden hingen. Die meisten waren braun, mit roten oder blauen Punkten. Sie zogen sich abwechselnd zusammen und auseinander um sich fortzubewegen und zogen ihre Fäden hinter sich her. Papa sagte, man nenne die Fäden Tentakel und sie enthalten ein Gift, mit dem die Feuerqualle ihre Beute betäubt. Anne entdeckte einen Seestern, der sich in den Tentakeln verfangen hatte und versuchte, ihn zu retten. Dabei brach sie den Tentakel der Qualle ab. Ich hatte kein Mitleid, denn ich mochte Quallen nicht. Einige meiner Cousins hatten böse Verbrennungen und Narben von Feuerquallen auf ihren Strandurlauben erhalten.

Ein langer Marsch

Wir erreichten das Ende von White Sand Beach. Wir bogen nach links ab, ließen den Strand hinter uns und erreichten einen Kokosnusshain. An einem Ende stand ein großes Holzhaus. Noch bevor Papa sich für einen der Wege entscheiden konnte, riefen uns die Leute von der Veranda zu:

»Ma jak nai?«

»Ja pai nai?«

»Wir gehen nach Klong Phrao«, antwortete Papa, »ist das der Weg hinter ihrem Haus?«

»Ja, gleich hier«, sagte der Mann und zeigte auf einen schmalen Pfad der sich durch die Kokospalmen schlängelte. »Es sind etwa drei Stunden Fußmarsch. Warum macht ihr nicht erst eine Pause, die Kinder wollen sich bestimmt erholen«.

»Nicht nur die Kinder! Ich brauche auch eine Pause«, sagte Mama. Sie sagte zu Papa ihr Rucksack sei heute schwerer als sonst. Wir hatten gestern Abend ein paar Sachen gewaschen und sie waren noch nicht ganz getrocknet. Sie hatte sie in der Sonne ausgebreitet während wir schwimmen waren, doch anschließend haben unsere nassen Badeanzüge und Handtücher das Gewicht noch erhöht.

Es waren fünf Leute im Wohnzimmer – eine Frau, zwei Männer und zwei Mädchen etwa in unserem Alter. Sie sahen uns zu wie wir die Treppe hinauf kletterten. Auf der Veranda sah ich, dass das ältere Mädchen einen jungen Beo-Vogel versorgte. Ich sah ihn mir aus der Nähe an.

»Er ist aus dem Nest gefallen«, erklärte sie. »Ich hoffe, er kommt durch, er ist sehr schwach«. Ich hoffte auch, dass er bald wieder gesund werden würde und zurück in den Wald fliegen könnte um dort zu leben. Papa und ich hatten mal einen verletzten Eisvogel gefunden und ihn solange gepflegt, bis er wieder gesund war.

Die beiden Männer gingen los um uns Kokosnüsse zu pflücken. Leider hatten sie kein Äffchen, das sie in die Palmen schicken konnten um die Nüsse für sie zu holen. Sie benutzten einen langen Bambusstock mit einem Eisenhaken am Ende. Der Haken muss sehr scharf gewesen sein, denn jedes Mal wenn der Mann den Stock mit einem Ruck zog, fiel eine Kokosnuss herunter. Sie trugen sie ins Haus und die Frau fing an, die Nüsse mit einem großen Messer zu öffnen, eine nach der anderen. Zuerst schnitt sie den Deckel ab und anschließend die grüne Haut. Dann knackte sie die Schale, aus der eine klare Flüssigkeit lief. Sie goss die Kokosmilch der drei Nüsse in eine saubere Aluschale und reichte sie uns. Sie sagte, ich solle soviel trinken wie ich wollte. Dann brach sie die Kokosnüsse in zwei Hälften und gab sie uns, um das weiche, weiße Kokosfleisch auszulöffeln. Ich mochte Kokosfleisch, also löffelte ich sie ordentlich aus.

»Bitte, nehmt ein paar Kokosnüsse mit«, bot die Frau an. Als Mama zögerte, bestand sie darauf. Wir mochten die frischen Kokosnüsse, aber sie sind schwer zu tragen.

»Ich werde zwei tragen«, sagte Papa schließlich.

»Ich kann eine in meiner Tasche tragen«, bot Anne an.

Mein Rucksack und meine Schultertasche waren bereits zu schwer und ich wollte nichts mehr dazu tun, doch ich hoffte insgeheim, Anne würde ihre Kokosnuss mit mir teilen. Nun, falls nicht, könnte ich sicher etwas von Papas Kokosnuss haben.

»Darf ich für die Kokosnüsse bezahlen«, fragte Mama die Frau.

»Nein, nein, wir sind froh dass sie euch schmecken.«

»Wir haben jede Menge, wissen sie, und wir verkaufen keine jungen Kokosnüsse«, antwortete die Frau.

Bevor wir aufbrachen, gab Mama den Mädchen jeweils eine Packung Karamell-Popcorn, unsere Lieblings-Snacks. Ich konnte sehen, wie sie sich freuten.

»Das nächste Mal solltet ihr bei uns übernachten«, lud die Frau uns ein, als wir uns verabschiedeten.

Wir nahmen den schmalen Pfad, auf dem es sich sehr einfach lief. Der Boden war aus festem Sand und kleine Büsche säumten den Weg. Leider hatten wir keine Zeit anzuhalten und mir die Insekten aus der Nähe anzusehen. Der Pfad führte uns durch den Dschungel, durch Wiesen und manchmal durch Fruchtgärten. Papa pflückte eine grüne Frucht von einem Baum.

»Wie wärs mit einer scharf-sauren Suppe heute Abend?«, fragte er, »ich habe hier schon mal eine Limone«.

»Du wirst dich wundern, Warren, wenn du herausfindest, dass deine Limone in Wirklichkeit eine junge Orange ist und überhaupt keinen Saft hat!«, antwortete Mama.

Doch Papa bestand darauf: »Es ist eine Limone«.

Nach einer Stunde Fußmarsch wurde es heiß. Anne sagte, ihre Tasche wäre zu schwer wegen der Kokosnuss.

Sie nahm sie heraus und trug sie in der Hand weiter. Dann versuchte sie, sie beim Laufen gegen ihren Bauch zu halten, doch auch das wurde schnell unbequem.

»Ich wünschte, wir könnten anhalten und die Kokosnuss essen«, sagte sie und betrachtete ihr Hemd, das vom Saft der Kokosnuss verdreckt war.

»Warum laufen wir nicht noch ein paar hundert Meter«, schlug Papa vor, »dort hinten können wir unsere Hände und Gesichter waschen.«

Wir kamen an einen Bach, der auf Papas Karte eingezeichnet war. Doch er führte keinen einzigen Tropfen Wasser!

»Lass uns die Kokosnuss essen«, sagte Anne. Sie wollte sie nicht weiter tragen. Papa holte sein Schweizer Taschenmesser aus der Hosentasche.

»Willst du die Nuss mit dem kleinen Messer öffnen?«, fragte Mama ungläubig.

»Warte es nur ab«, sagte Papa und begann damit, ein kleines Loch durch eines der Augen in der Schale zu bohren. Dann bohrte er noch ein Loch und drehte die Kokosnuss um. Klarer Saft floss heraus und füllte unsere Tassen. Welch ein Glück, dass wir die Kokosnüsse hatten! Nachdem wir ausgetrunken hatten, schmetterte Papa die Nuss gegen einen großen Felsen im Flussbett. Zu unserer Freude zerprang sie in zwei gleich große Stücke.

»Ich dachte schon, nach dem Wurf wäre nichts mehr übrig von der Nuss«, sagte Mama. Wir lachten.

»Seid ihr ausgeruht?«, fragte Papa. Wir sammelten unsere Rucksäcke ein und setzten sie langsam auf. Dann nahmen wir unsere Schultertaschen und wanderten weiter. Wir kamen an einigen verstreuten Häusern vorbei. Aus jedem Haus kamen dieselben Fragen.

»Ma jak nai?«

»Ja pai nai?«

Einige von ihnen sagten: »Welch zähe Kinder!«, und schüttelten ungläubig den Kopf. Anne und ich schmunzelten in uns hinein. Wieder einmal erreichten wir den Rand des Dschungels. Es wurde grüner mit jedem Schritt. Doch plötzlich standen wir auf einer großen Lichtung mit vielen Baumstümpfen.

»Jemand hat hier gerade den Wald gelichtet um etwas anzubauen, vielleicht Mais«, sagte Papa. »Wir nennen das Brandrodungsanbau. Die Leute fällen alle großen Bäume, verkaufen sie als Nutzholz und bauen stattdessen schnell wachsende Getreidesorten an, die man schon nach sechs Monaten oder so ernten kann. Doch das geht nur ein paar Jahre gut.«

»Wieso?«, fragten Anne und ich. Es kam uns schon etwas kurzsichtig vor.

»Die Erde wird ausgelaugt oder fortgewaschen, weil keine Wurzeln mehr da sind, die sie halten«, erklärte Papa.

»Und was wird aus den Bauern?«, fragte Anne.

»Sie wandern einfach weiter an einen neuen Ort und holzen wieder alles ab«, antwortete Papa.

Ich konnte nicht sagen, was aus dieser Lichtung in den nächsten paar Jahren werden wird. Aber ich konnte fühlen, dass es hier nun trocken und heiß war. Die Sonne schien direkt auf meine Kopf. Ich sah Mama mit ihrem orangefarbenen Regenschirm mit dem schwarzen Blumenmuster. Sie hatte einen großen braunen Rucksack an und eine kleinere Tasche vor der Brust. Sie versuchte, nicht durch die bloße Sonne zu laufen, doch sah es lustig aus. Sie schaute auf ihre knielangen Jeans und dann zu mir und lachte: »Sollte ich nicht einen schönen, roten Mantel tragen und schöne blaue Hosen ...«

»Lila Schuhe mit purpurnen Sohlen und dunkelrotem Futter?«

»Schade, mein Schirm ist nicht so grün wie der von Little Sambo«, rief Mama.*

»Dann würdest du einen Tiger treffen«, warnte ich sie.

»Vielleicht keine gute Idee«, sagte sie, »ich will meine Schirm nicht an einen Tiger abgeben müssen, und einen Tiger treffen schon gar nicht!«

* "Little Sambo« ist ein altes Kinderbuch, in dem ein Junge in Indien alle seine Sachen an vier Tiger abgeben muss, um nicht von ihnen aufgefressen zu werden.

Wir überquerten zwei weitere Bäche an denen wir hofften, unsere Flasche auffüllen zu können, die schon lange leer war. Doch beide Bäche waren ausgetrocknet. Warum konnte Papa nicht auf seiner Karte sehen, ob die Flüsse Wasser führten oder nicht?!

Zum Glück hatten wir noch zwei Kokosnüsse übrig.

»Ein Kilometer liegt noch vor uns«, sagte Papa.

»Das erzählst du uns seit einer halben Stunde«, beschwerte sich Anne. Sie sagte ihre Tasche würde immer schwerer und das Metallgestell reibe an ihren Hüften. Doch wir konnten nichts tun außer ihm zu folgen. Ich wartete darauf, dass Mama gleich sagen würde, sie hätte eine Überraschung für uns. Vielleicht würde sie eine eiskalte Colaflasche aus ihren Rucksack zaubern, hoffte ich. Doch nichts dergleichen passierte. Endlich kamen wir aus dem Wald heraus und sahen eine große Kokosplantage.

»Klong Phrao ist da drüben«, sagte Papa und zeigte nach rechts. »Doch wir müssen hier links entlang, um nicht durch das Wasser waten zu müssen.«

»Lass uns erst hier rasten«, schlug Mama vor. »Wir sind ja ohnehin gleich da«. Wir gingen zu einer kleinen Brücke, legten unsere Taschen ab und warteten auf Papa, der die beiden Kokosnüsse öffnete. Als ich dankbar den Saft trank und das leckere Fleisch verzehrte, war ich mir sicher, nie zuvor eine schmackhaftere Kokosnuss gegessen zu haben.

»Seid ihr ausgeruht?«, fragte Papa.

Wir riefen nicht »Ja!«, wie wir es sonst taten. Wir stöhnten, als wir unsere Rucksäcke langsam wieder aufsetzten. Wir liefen gerade über die Wiesen und dann links in Richtung Sumpf.

»Wenn wir am Strand lang laufen, können wir wahrscheinlich nicht an dem Privatgelände vorbei«, erklärte er Mama auf der Karte. Doch Mama widersprach. Sie war sehr müde und sagte, sie würde lieber durch knietiefe Wasser am Strand wandern als durch einen matschigen Sumpf. Also liefen wir über die Wiese zum Strand. Eine Kanalmündung floss landeinwärts und schnitt den Strand von der anderen Seite ab. Hinter dem Kanal sahen wir eine hohe Sandbank. Es sah dort aus wie in einer anderen Welt. Es gab einen schönen grünen Rasen und Kokospalmen thronten über bunten Zelten.

»Zelte!«, rief Mama, »woher um alles in der Welt haben die Dorfleute diese Zelte? Erzähl mir nicht, ein Reiseveranstalter hat sich vor uns hier niedergelassen!«

Nicht weit von den Zelten stand eine kleine Hütte. Zwei Picknicktische, ein paar Bänke und große, rote Schirme standen davor. Als wir näher kamen, konnten wir den Cola-Schriftzug auf den Schirmen erkennen. Ich vergaß all das Gewicht auf meinen Schultern, und das Wasser zwischen uns und der Sandbank. Ich hielt geradewegs auf die Hütte zu.

Baan Klong Phrao

»Eine Cola bitte«, sagte ich zu dem Mann vor der Hütte.

»Für mich bitte auch«, fügte Anne hinzu.

»Vier Flaschen Cola und vier Gläser mit Eiswürfeln«, ergänzte Mama. Ihr war aufgefallen, dass der Mann die Bestellung von uns Kindern nicht ernst nahm. Papa stellte sich vor und übergab dem Mann sein Empfehlungsschreiben des Geschäftsführers der Fischsoßenfabrik auf dem Festland.

»Ich bin nicht Khun Sanit, der Dorfoberst. Doch ich kenne ihn sehr gut. Er ist im Moment nicht da, sollte aber bis zum Abend vom Festland zurück sein. Mein Name ist Sakda, ich leite Reisegruppen hier her.«

»Wo finde ich Khun Sanits Haus?«, fragte Papa.

»Ein paar hundert Meter vom Kokoshain«, antwortete der Mann.

»Vermieten sie Zelte?«, wollte Papa wissen und zeigte auf die Zelte, an denen wir vorbei gelaufen waren.

»Nein, ich habe gerade genug für meine Reisegruppe. Aber sie können gerne ihres dazu stellen«, antwortete er, als er Papas großen Rucksack sah.

»Können wir trotzdem unsere Cola bekommen?«, fragte Mama und ich war froh dass sie die Dringlichkeit unseres Anliegens erkannte.

»Leider habe ich keine Cola«, sagte Khun Sakda, und fügte hinzu: »Tut mir leid sie enttäuschen zu müssen«, als er unsere langen Gesichter sah.

»Aber die Schirme ...«, wunderte sich Mama und zeigte auf das aufgedruckte Cola-Logo.

»Ich brauche sie, um etwas Schatten zu spenden. Ich habe sie von einem Freund und sie sind sehr nützlich. Aber bitte, bedienen sie sich, wir haben Tee und Wasser da drüben in den Thermo-Kannen.«

Während Mama und Papa noch weiter mit Khun Sakda redeten, bemerkte ich immer mehr Leute, die von der anderen Seite der Sandbank auftauchten. Es waren auch große und kleine Kinder dabei. Sie starrten uns an und die Erwachsenen stellten uns freundliche Fragen.

»Wie seid ihr hier her gekommen?«

»Wir sind von Baan Klong Son gewandert«, antwortete Anne.

»Mein Gott!« Die Frau wollte ihren Ohren nicht glauben. »Baan Klong Son! Da sind wir heute Morgen mit dem Boot vorbei gefahren. Eure Eltern haben euch den ganzen Weg hierher laufen lassen?«

»Es ist unser Wanderurlaub«, erwiderte Anne höflich.

Die Frau konnte nicht begreifen, weshalb wir uns die Mühe machten, wo wir doch mit der Fähre direkt von Trat auf dem Festland hätten her kommen können.

Papa baute unser Zelt zwischen zwei Palmen auf. Einige Leute zeigten auf unser Zelt, das klein und braun war und ziemlich alt und benutzt aussah im Vergleich zu den großen, bunten Zelten der Reisegruppe. Papa sah zu den Leuten herüber und dann in den Himmel und grinste.

»Lass ihnen ihre schicken Zelte. Wenn es heute Nacht regnet, sehen wir ja wer trocken bleibt.«

Ein Mann zeigte noch immer auf unser Zelt. Dann ging er zu Mama und sagte: »Sie sollten nicht zu nah an den Palmen zelten. Eine Nuss könnte herunter fallen.« Papa lachte nur und ließ das Zelt an seinem Platz.

Wir verließen das Zelt und gingen uns waschen. Etwas weiter landeinwärts gab es zwei Reihen mit Waschräumen. Die erste Reihe hatte fließendes Wasser, aber keine Türen. Die hintere Reihe hatte drei Badezimmer und drei Toiletten. Mama sagte, ihr gefielen die vorderen besser, weil sie sauber und gut gelüftet wirkten. Doch sie benutzte die Reihe mit Türen, da die offenen Räume wohl für Männer und Jungs gedacht waren.

Nach einem luxuriösen Bad mit fließendem Wasser suchte Papa uns einen Platz zum Feuermachen. Er wollte Mama sein neues Rezept für Dschungel Curry vorführen. Ein Mann an der Hütte sagte, wir könnten mit der Gruppe zu Abend essen. Papa sagte, er wolle kochen aber wäre dankbar, wenn er keinen Reis aufsetzen müsste. Er kochte Wasser auf und schüttete dann das Currypulver hinein.

Danach fügte er getrocknetes Rindfleisch und getrocknete Pilze hinzu und kochte alles auf. Als das Essen fertig war, war es bereits dunkel.

»Lasst uns vor unserem Zelt essen«, sagte er. Mama wärmte noch etwas Trockenfleisch auf und zerkleinerte es für das Curry. Ein Junge brachte uns eine Schüssel gekochten Reis von der Hütte und einen Teller gegrillte Garnelen. Das Abendessen war köstlich, obwohl das Curry etwas zu scharf war für meinen Geschmack. Es machte Spaß, im Dunkeln zu essen.

Khun Sakda kam zu uns und lud uns zum gemeinsamen Essen ein. Er führte uns zu einem langen Tisch, der mit einer Kerosinlampe hell erleuchtet war. Auf Tellern stapelten sich Mengen von Riesengarnelen, Tintenfisch, verschiedene Muschelarten und ein frittierter Fisch mit einem riesigen Kopf, der irgendwie unheimlich aussah. Ich war erleichtert, dass ich ihn nicht essen musste. Zwei junge Männer brachten immer mehr Essen – es schien endlos zu sein.

Ich war schon fast eingeschlafen und wartete darauf, dass die anderen aufgegessen hatten, als eine Frau vom anderen Tisch zu Mama herüber kam.

»Sind sie nicht Tante Rabiabs Tochter?«, fragte sie erstaunt.

Mama erzählte uns später, sie habe fast den Löffel fallen gelassen. »Stellt euch vor! Wir kommen den ganzen Weg bis zu dieser entlegenen Insel, wandern einen ganzen Tag und trotzdem treffen wir die Verwandtschaft aus Bangkok!« Die Frau stellte sich als entfernte Cousine heraus, die Mama seit Jahren nicht mehr gesehen hatte. Also gingen Anne und ich zu ihr und grüßten sie mit einem artigen Wai und begrüßten ihre zwei Kinder.

Es wurde Zeit schlafen zu gehen. Anne sah unser Zelt und fragte: »Wie sollen wir alle da rein passen?«

»Ist dir schon mal aufgefallen, wie Sardinen in eine Dose passen?«, fragte Papa. »Genauso werden auch wir schlafen«.

Am nächsten Morgen baten unsere Verwandten uns zum Frühstück. Mir fiel auf, dass Mamas Cousine sehr fröhlich war und höflich. Sie ermunterte Anne, mit ihrer Tochter zu spielen, die etwa im selben Alter war. Ihr jüngerer Sohn lud mich auf eine Tour im Schnellboot ein, das sein Vater lenkte. Sie gefielen mir weil sie nicht die üblichen dummen Fragen stellten, ob wir Thai sprechen könnten oder welche Sprache uns lieber sei, nur weil unser Papa ein Farang ist.

Nachdem die Reisegruppe ihr Frühstück mit Reissuppe, gedünstetem Fisch, gekochten Garnelen und Tintenfisch beendet hatte, packten sie ihre Sachen und beluden das Boot. In kürzester Zeit waren alle Zelte abgebaut, und alles Geschirr und Besteck in einer Kammer hinter der Hütte verstaut und weg waren sie. Der Zeltplatz war nun leer und sah viel hübscher aus. Papa sagte, wir sollten lieber den Strand genießen, denn in ein paar Stunden würden auch wir aufbrechen.

»Schon wieder aufbrechen!«, sagte ich.

»Kaum haben wir uns an einen Ort gewöhnt und schon willst du weiter. Sieh dir den schönen Strand an, Papa!«, fügte Anne hinzu.

Papa gab nach: »Na gut, wir können etwas länger bleiben, sagen wir vier Uhr. Es sollte nicht mehr als zwei Stunden dauern bis Baan Gai Jage bevor es dunkel wird.«

Strandgutsammler

Es war Ebbe, doch das störte uns nicht. Das Meerwasser blieb klar und wir konnten den feinen, weißen Sand am Meeresboden sehen. Anne und ich sammelten hunderte Sanddollar, und wir reihten sie nach Größe auf. Dann ließen wir die größten über das Wasser springen, wie Frisbees, so dass sie von der Wasseroberfläche abprallten und auf ihr hüpften, bevor sie untergingen.

»Schau, zwei Sprünge!«, gab Anne an.

»Das kann ich besser«, forderte ich sie heraus.

»Lass sehen! Eben ist dein Sanddollar nur ein einziges Mal gehüpft.«

Ich warf den Sanddollar in meiner Hand. Er berührte das Wasser, sprang hoch, fiel wieder ins Wasser und verschwand.

»Was war das denn?«, rief Anne und lachte.

»Hast du es nicht gesehen?«, musste ich ihr erklären, »Das erste Mal ist er aus meiner Hand gesprungen, dann berührte er das Wasser und sprang ein zweites Mal. Zuletzt ist er ins Wasser gesprungen, der dritte Sprung insgesamt!«

»Ich zähle das als einen Sprung«, sagte Anne.

»Drei Sprünge«, wiederholte ich.

»Einer.«

»Drei.«

»Einer.«

»Dre-hei!«

Mama kam zu uns herüber und erklärte uns, dass es eine Änderung im Plan gegeben hat: »Wir müssen heute nicht mehr nach Baan Gai Jae wandern«.

Ich hörte auf, mich mit Anne zu streiten. »Wann wirst du uns beim Muschelsammeln helfen?«, fragte ich Mama.

»Okay, jetzt sofort«, antwortete sie und krabbelte jetzt mit uns den Strand entlang um nach Porzellanschnecken und grünen Muscheln zu suchen. Wir hatten nie zuvor solch eine Vielzahl unterschiedlicher Muster auf den grünen Muscheln gesehen. Ich blieb dicht bei ihr, damit sie mir ihre Fundstücke gab, doch Anne passte auf.

»Es ist nicht fair, dass du alle Muscheln Jill gibst. Sie muss auch ihre eigenen finden.« Dann schlug ihr Ton um und sie sagte in mit zuckersüßer Stimme: »Mae, suchst du mir auch ein paar schöne Muscheln, bitte?«

Mama musste lachen und begann ihr ›eine für Jill und eine für Anne‹ System. Das machte überhaupt keinen Spaß!

Sie erzählte uns, dass wir nicht in das vier Kilometer entfernte Baan Gai Jae wandern werden müssen. Der Dorfoberst hatte ihr erklärt, dass es von dort schwierig sein würde ein Boot zu bekommen nach Salak Phet auf der anderen Seite der Insel. Papa wollte eigentlich um die Südspitze der Insel wandern bis nach Salak Phet, von wo

wir mit der Fähre zurück nach Trat fahren wollen. Doch Mama meinte, das wäre zu viel für uns Kinder auf unserer ersten richtigen Rucksackwanderung. Sie schlug vor, wir sollten von Klong Phrao direkt nach Salak Phet fahren.

»Nun kann das Boot, dass uns nach Salak Phet bringen soll aber nicht hier anlegen, da es Ebbe ist und die Sandbank zu hoch. Wir werden hier übernachten müssen und im Morgengrauen nach Salak Phet aufbrechen, wenn die Flut am höchsten ist. Das wars mit Wandern! Genießt euren Tag am Meer.«

Das war zu schön um wahr zu sein. Es war großartig, soviel Zeit zu haben um Muscheln zu sammeln, schwimmen zu gehen oder Sandburgen zu bauen. Wir konnten heute am Strand bleiben solange wir wollten.

Als wir unsere Muschelsammlung auflasen, um sie in der Trinkwasserquelle zu waschen, rief Papa uns zum Mittagessen. Er hatte Wasser aufgesetzt und Mama goss es über die Fertignudeln. Das war unser Standardessen, jedes Mal wenn wir Wasser aufkochen konnten. Wenn man nur gerade genug Wasser eingießt, um die Nudeln aufzuquellen, schmeckten sie wie gebratene Nudeln. Gießt man viel Wasser ein und fügt etwas Fischsoße und Limettensaft hinzu, hatte man Tom Yam, eine köstliche Thai-Suppe. Mama hatte etwas zerkleinertes, getrocknetes Schweinefleisch dabei und ich durfte mir soviel nehmen wie ich wollte.

Die Nachmittagssonne war sehr heiß und wir wollten nicht bei lebendigem Leibe gegrillt werden. Also beschlossen Anne und ich, im Schatten unter den Kokospalmen am Strand zu spielen. Wir sortierten unsere Muscheln, während ein paar Kinder aus der Nachbarschaft aus der Entfernung zusahen. Die Gruppe kleiner Jungs wurde immer größer. Sie versammelten sich an einer halbfertigen Hütte und kletterten die Holzbohlen hinauf und schaukelten an den Querbalken. Nach einer Weile kamen ein paar ältere Mädchen dazu und bildeten eine weitere Gruppe. Der Rasen unseres Campingplatzes hatte sich in einen Spielplatz verwandelt.

»Dies ist wahrscheinlich der einzige Spielplatz im ganzen Dorf«, sagte Mama, während sie auf eine Reihe von

Hütten auf Stelzen auf der anderen Seite des Kanals blickte. »Die Häuser hier sind alle aus dem Mangrovenlehm gebaut«, fügte sie hinzu.

»Ich werde mich mal da oben umsehen«, sagte Papa und zeigte auf den hohen Berg auf der anderen Seite des Flusses. »Stromaufwärts soll es einen Wasserfall geben, den würde ich mir gerne ansehen.«

»Ich komme mit, Papa«, sagte Anne. »Ich hole nur schnell meine Sandalen vom Strand.«

Anne kam barfuss zurück. Sie sagte sie wisse genau, wo sie ihre Sandalen gelassen hatte. Mama ging zum Strand um nachzusehen, doch auch sie konnte die Sandalen nicht finden. Sie fragte die Dorfkinder, ob jemand die Sandalen gesehen habe. Ein Mädchen in meinem Alter war sehr besorgt. Sie half uns suchen. Anne war wütend als ihr klar wurde, dass sie auf der Insel keine neuen Sandalen würde kaufen können.

»Es macht wenig Sinn, umherzulaufen und die Sandalen zu suchen, wenn du genau weißt, wo du sie gelassen hast«, stellte Mama fest. »Ein Hund oder irgendjemand muss sie mitgenommen haben. Allerdings habe ich noch nie gesehen, dass ein Hund gleich beide Sandalen mitgenommen hat«, überlegte sie laut: »Ich habe eine Idee.«

»Wer unsere verlorenen Sandalen findet, bekommt einen Bonbon«, eröffnete Mama der Gruppe kleiner Jungs, die uns beobachtet hatte. Sie zeigte ihnen die Bonbons in ihrem prachtvollen, bunten Papier.

»Sind sie blau?«, fragte eine zarte Stimme vorsichtig. Mama sagte ja, das wären sie, und ihm würden die Bonbons gehören, wenn er die Sandalen zurück bringen könnte.

Der Junge lief davon und grub die vermissten Sandalen aus! Mama gab ihm zwei Bonbons zur Belohnung, doch alle anderen Kinder bekamen ein paar mehr als er.

Fremde in der Nacht

Wir beendeten unser Abendessen, wuschen ab und machten unsere Betten fertig für die Nacht. Es musste alles fertig sein bevor es dunkel wurde. Papa hatte zwei Taschenlampen und nur ein paar Kerzen dabei. Wir mussten die Taschenlampen sparsam benutzen, da wir keine Ersatzbatterien hatten.

Mama rieb erst meine Arme mit Moskitoschutz ein, dann Annes. Sie schmierte die Kreme auf ihre Arme und gab die Tube dann weiter zu Papa. Wir mussten aufpassen, nicht von Moskitos gestochen zu werden, denn die Mücken hier konnten Malaria übertragen.

Wir sahen der Sonne zu, wie sie im ruhigen Meer versank. Sie wurde tiefrot wie eine riesige Tomate, bevor sie verschwand. Noch konnten wir sehen, doch schon bald war es stockdunkel. Papa zündete eine Kerze an und stellte sie auf den Tisch. Wir saßen um den Tisch und überlegten uns ein Spiel, dass wir ohne Licht spielen konnten.

»Lass uns ›Zwanzig Fragen‹ spielen«, schlug Anne vor. Jemand musste sich eine Sache oder einen Namen aussuchen, und die anderen mussten herausfinden was es war. Sie mussten Fragen stellen, die man nur mit ›ja‹ oder ›nein‹ beantworten kann. Wir mussten das Wort erraten, bevor unsere zwanzig Fragen aufgebraucht waren.

»Psst, ich höre ein Paddelboot am Steg anlegen«, sagte Mama plötzlich.

Wir drehten uns um und sahen in Richtung Steg, ein Landeplatz für kleine Boote, nicht zu weit von der Hütte entfernt. Es war sehr dunkel, doch ich konnte zwei Gestalten erkennen, die ihr Boot an einem der Pfosten festmachten. Sie stiegen die Stufen herauf und kamen direkt auf uns zu. Als sie näher kamen, konnte ich im Kerzenschein erkennen, dass es ein Mann und eine Frau waren. Der Mann trug etwas mit einem langen Griff. War es ein Knüppel oder eine Machete? Was wollten sie von uns? Niemand sagte ein Wort. Ich fragte mich, ob Mama sich Sorgen machte. Wir wussten, dass Papa keine Waffe trug. Ich rückte näher zu Mama und drückte mich an sie.

Plötzlich hatte der Mann unseren Tisch erreicht und letzt mit einer schnellen Bewegung das lange Etwas direkt vor uns auf den Tisch. Es war die größte Taschenlampe, die ich je gesehen habe! Ich merkte, wie Mama erleichtert ausatmete und Papa grüßte die Besucher.

»Sawasdi krap – guten Tag!«

»Ma jak nai?«, fragte die Frau freundlich.

»Was macht ihr hier?“, folgte die nächste typische Frage.

»Wir sind hier um euren Dorfoberst zu treffen, Phu Jai Sanit«, antwortete Mama, um uns vorsichtig als Freunde des Dorfobersten vorzustellen.

»Der Phu Jai ist kurz vor Einbruch der Dunkelheit abgereist«, sagte der Mann.

»Er war vorhin hier um mit uns zu plaudern«, fügte Mama hinzu.

»Ich nehme an ihr seid Leute aus Bangkok«, fuhr die Frau fort. Ich konnte ihre weißen Zähne sehen, aber nicht das ganze Gesicht. Unsere Kerze war einfach nicht hell genug.

»Ja, wir sind aus Bangkok«, antwortete Mama.

»Dann kennt ihr sicher Louie? Er lebt in Bangkok«, fragte die Frau aufgeregt.

»Louie, wer?«, fragte Mama. Sie war nicht sicher ob sie richtig verstanden hatte. Die Inselleute sprachen in einem Akzent, den ich lustig fand, und interessant. Ich hatte mit Anne versucht, ihn nachzumachen. Sie sagte ich höre mich doof an, aber ich musste lachen.

»Oh, mein Freund Louie«, antwortete die Frau stolz, »er ist ein Farang, wissen sie. Er arbeitet in Bangkok. Ihr Mann ist auch Farang, dann kennt er sicher meinen Freund. Louie war letztes Jahr hier.«

»Ich nehme an du solltest die beiden kennen, Louie und Sullivan«, erklärte Mama dem verdutzten Papa auf Englisch. »Alle Farang kommen doch aus demselben Land und alle leben sie in Bangkok, wo jeder jeden kennt, genau wie hier!«

»Sie haben mich zuhause besucht«, gab sie an. »Sie haben sogar Fotos von mir gemacht!«, fuhr sie in ihrem Dialekt fort. »Das erste Foto nur von mir alleine! Das zweite mit mir und Louie. Das dritte Foto ein Gruppenbild, meine Nachbarn waren auch alle darauf. Das vierte ...«

Ich war zu müde und verschlafen um ihrem schnellen Geschnatter zu folgen und ich war froh, als sie sich verabschiedete. Mama musste ihr versprechen sie zu besuchen, auf der anderen Seite des Kanals, wenn sie nächstes Mal nach Koh Chang käme.

»Schade, dass ihr morgen schon so früh fahrt. Ihr bleibt nicht lang genug. So könnt ihr gar nicht erfahren, wie nett wir Inselleute sind«, fügte sie hinzu, während sie sich erhob um zu gehen. »Ich werde euch beim nächsten Mal ein besonderes Essen kochen. Ich wette, mein frischer Muschelsalat wird euch schmecken.«

Nach Salak Phet

»Zeit aufzustehen!«, rief Mama, »Warren, es ist halb sechs.«

»Okay, ich stehe ja schon auf«, sagte Papa, doch seine Stimme kam von weiter weg, er lag nicht mehr neben mir. Ich setzte mich auf und sah aus dem Zelt nach draußen. Da lag er in seinem kleinen Moskitonetz nur ein paar Meter entfernt.

»Wie hast du geschlafen?«, fragte Mama laut.

»Hm, wahrscheinlich besser als du«, antwortete er und grinste mich an, »ich hatte ja keine Jill neben mir die mich die ganze Nacht tritt!«

Ich wollte Papa wirklich nicht treten. Die Stiche der Sandfliegen, die mich seit gestern Nachmittag nervten, wurden einfach unerträglich letzte Nacht. Das Jucken machte mich verrückt. Ich vermute, ich hatte Mama in der Nacht viele Male geweckt, denn ich hatte bemerkt wie sie meine roten Beulen mit kühlender Kreme einrieb während ich schlief. Manchmal aber hat sie mich nur sanft wieder weg geschoben, wenn ich sie anstieß während ich meine Arme und Beine kratzte.

Wir packten schnell unsere Sachen und Anne brachte mich zur Toilette. Khun Sakda hatte für uns ein Badezimmer unverschlossen gelassen. Als wir zum Tisch zurückkehrten, war bereits alles verpackt und Mama und Papa schlürften ihren Kaffee.

»Hier, dein Kakao«, sagte Mama, »wir werden auf dem Boot frühstücken. Wir müssen in ein paar Minuten aufbrechen, damit wir es noch über die Sandbank schaffen.«

Ich trank meinen Kakao langsam, es schien mir zu früh zum Aufbrechen. Die Sonne war noch nicht aufgegangen und der Berg wirkte sehr dunkel gegen den rosa Morgenhimmel, der sich jetzt langsam orange färbte.

»Beeil dich, Jill, wir fangen an zu laden«, rief Papa als er seinen Rucksack aufschulterte und in das Boot stieg. Wir reichten ihm unsere Taschen und sprangen ins Boot, das sofort ablegte.

Das Meer war ruhig und die Luft noch kühl von der Nacht. Wir setzten unser Frühstück fort mit Erdnussbutter- und Marmeladentoast. Es waren noch ein paar Bonbons übrig und zwei Flaschen Wasser. Außerdem mussten wir heute unsere Taschen nicht durch den Wald schleppen – es würde also ein angenehmer Tag werden.

»Ich glaube, ich kann nicht wandern gehen mit den ganzen Muscheln in meiner Tasche«, überlegte Anne.

Wir versuchten, Vögel aus dem fahrenden Boot zu beobachten, doch ich konnte keine entdecken, weder am Strand zu unserer Linken, noch an der Steilküste zu unserer Rechten. »Tuck, tuck, tuck“, der Motor lief gleichmäßig während wir der Küste entlang folgten. Es passierte nichts, es war einfach nur eine ereignislose, langweilige Bootsfahrt.

»Es juckt«, sagte ich zu Mama.

»Es juckt mich«, wiederholte ich und kratzte mich.

»Nicht so viel kratzen«, warnte Mama. Ich konnte aber nicht anders, die Stiche juckten und es gab nichts anderes zu tun auf dem Boot, als Kratzen.

»Wenn du dich langweilst, versuch doch etwas zu schlafen«, schlug sie vor.

»Ich muss auf Toilette«, sagte ich. Ich wusste, dass das Boot keine Toilette hatte. Mama sah weiter durch ihr Fernglas. »Ich muss wirklich, kein Scherz«, sagte ich und erhielt diesmal ihre volle Aufmerksamkeit.

»Was sollen wir machen?«, fragte sie Papa. »Kannst du sie über die Reling halten?« Papa gab keine Antwort.

»Ich kann es nicht einhalten. Ich will nicht über die Reling machen!«, sagte ich.

»Keine Sorge, Jill. Ich blase den Schwimmreifen auf und du kannst ihn als Toilettensitz benutzen«, schlug Mama vor.

»Nein, das will ich nicht.«

Dann nahm Mama mich einfach auf ihren Schoß und legte ihre Arme um mich. Es war gemütlich. Ich sah einen Fischadler über unserem Boot gleiten und schloss die Augen.

»Salak Phet ist dort drüben«, sagte der Bootsführer und nickte mit dem Kopf in die Richtung einiger Häuser in der Ferne. Wir waren nicht länger auf offener See. Das Boot hielt auf eine Bergkette zu und bog nach links ab. Wir fuhren in eine große Bucht, von Bergen umgeben. Große und kleine Häuser schienen auf dem Wasser zu schwimmen gegen den imposanten Hintergrund.

»Willkommen in der Bucht von Salak Phet«, rief Mama aufgeregt. »Ich meine, hier hat ein thailändisches Kriegschiff einst einen französischen Zerstörer versenkt.« Sie erzählte uns einige Details der berühmten Seeschlacht vor Koh Chang.

»Wir müssen das Haus des Schuldirektors finden«, erinnerte Papa sie, »weißt du noch seinen Namen?«

»Kru Chat«, sagte sie. ›Kru‹ heißt Lehrer und so wurde er wohl genannt.

Wir erreichten die ersten Häuser. Am Pier lagen große Boote. Unser Boot sah dagegen winzig aus.

Als wir an Land waren, gingen wir zunächst in einen großen, soliden Laden. Das Haus war hellgrün gestrichen und der Fußboden war sauber und glänzend. Die Regale waren mit getrocknetem Essen und Konserven gefüllt. Bunte Pakete mit Waschmitteln waren auf dem Boden gestapelt, gleich neben den Saftkartons, die mir sofort ins Auge fielen.

»Der Kru ist aufs Festland gefahren«, erzählte die Ladenbesitzerin. Mama sagte, wir wären nicht sicher, ob wir in seinem Haus übernachten könnten. »Ich kann ihnen ein Zimmer mit eigenem Badezimmer vermieten«, bot sie uns an. »Es ist groß und luftig«. Sie nahm einen Schlüssel von ihrem Bund und schloss das Vorhängeschloss an der Tür hinter ihrem Rücken auf. Sie zog die Tür auf und ging hinein, um die Fensterläden zu öffnen.

»Ein großes Bett, fünfzig Baht pro Nacht.«

»Kein Moskitonetz?«, fragte Mama.

»Werden sie nicht brauchen. Die Meeresbrise fegt die Mücken gleich aus drei Richtungen weg.«

»Lass uns gehen!«, rief Papa vom Pier herüber. Ihm gefiel der Ort nicht. Die Frau bestand weiter darauf, dass wir bei ihr im Laden bleiben sollten.

»Sie werden sehen, das Haus vom Kru ist zu weit den Kanal hinauf. Das Boot wird stecken bleiben, steigt lieber hier aus. Sie können gern mein kleineres Boot mieten, um zu seinem Haus zu fahren!«

»Los gehts«, rief Papa noch einmal. Wir sprangen zurück in unser Boot. Der Bootsführer war erleichtert, uns wieder zu sehen. Er erklärte Mama, er hätte es bereut, würde er versagen uns beim Lehrer abzusetzen. Schließlich hatte er es dem Dorfoberst Sanit so versprochen.

»Mein Vater ist mit meiner Mutter nach Trat gefahren«, erzählte ein großes Mädchen, sie war älter als Anne. Sie war sehr höflich. Mama stellte uns vor und sagte, Dorfoberst Sanit hätte uns geschickt ihre Familie zu besuchen. Das Mädchen bat uns hinein und zeigte uns eine

Ecke im Wohnzimmer, in der wir unsere Sachen ablegen konnten.

»Meine Eltern werden am Nachmittag wieder hier sein«, sagte sie. Papa sagte, wir würden uns im Ort umsehen und etwas essen gehen.

»Papa, dürfen wir Brause haben?«, fragte Anne und ich stimmte ein: »Eine gute Idee!«

»Klar, ich bin auch durstig«, antwortete Papa und ich war froh, dass auch er Brause mochte. Mama machte sich nicht viel aus Softdrinks, doch jetzt war sogar ihr danach.

Wir kehrten zurück zum Laden am Pier, in dem ich vorher die Kisten mit Saft entdeckt hatte. Sie waren nicht gekühlt.

»Das Boot von Festland ist noch nicht da, deshalb haben wir kein Eis«, erklärte die Verkäuferin. Wir gingen in ein anderes Geschäft, in dem Papa einen Kühlschrank gesehen hatte.

»Die müssen kalte Getränke haben!« Wir stimmten alle zu. Und tatsächlich gab es gekühlte Getränke, doch waren sie nicht wirklich sehr kalt.

»Nun, besser schafft ein Benzinkühlschrank das eben nicht«, sagte Papa.

Ich wusste nicht einmal, dass es so etwas wie einen Benzinkühlschrank überhaupt gab.

»Es gibt auf der Insel keinen Strom«, erinnerte uns Papa. »Die Leute hier müssen andere Energien nutzen. Seht ihr wie gut wir es haben in Bangkok mit Strom?«

Mama kaufte in dem Laden auch einen Hustensaft für mich. Sie sagte, der Wirkstoff in dem Saft würde super gegen das Jucken der Sandfliegenstiche helfen. Ich konnte mir nicht vorstellen, wie das funktionieren sollte. Heißt das, wenn man Husten hat, dann deshalb, weil einem der Hals juckt?

Es waren noch zwei Stunden bis zur Mittagszeit und wir hatten nichts vor. Das war mir fremd, zuhause gab es immer etwas zu tun.

»Lasst uns etwas herumlaufen«, schlug Papa vor und wir schlenderten den Holzsteg entlang, der über dem Mangrovenschlamm verlief. Diese schmalen Stege dienten als Straßen im Dorf und sie waren alle sehr stabil auf hohen Stelzen gebaut. Außerdem war jedes Haus auf Stelzen gebaut und hatte eine große Veranda, auf der sich die Familie versammelte, um ein paar Güter zu verkaufen. Die Bewohner des Ortes beobachteten uns genau. Die meisten von ihnen lächelten und fragten uns, woher wir kämen.

»Ma jak nai?«

»Ja pai nai?«

Anne und ich blieben stehen, um uns ein paar Küken anzusehen, die um ihre Mutterhenne herumliefen. Sie suchten unter dem Haus nach etwas Futter. Ich fragte mich, wohin sie wohl gingen, wenn die Flut kommt und den Bereich unter dem Haus überschwemmte. Wahrscheinlich würden die Hausbewohner sie dann auf der Veranda herumlaufen lassen. Unter dem Haus waren auch ein paar Enten. Ich sah zu, wie sie mit ihren Schnäbeln Schnecken und Muscheln aus dem Schlamm zogen. Das Huhn musste schon ordentlich suchen, wenn es ein Reiskorn finden wollte, das jemand beim Kochen oder Fegen von der Veranda fallen lassen hatte. Ich vermutete, eine Ente hat es hier leichter als ein Huhn.

»Lasst uns ein paar Früchte besorgen gehen«, sagte Mama. »Wenn ich eine Jackfrucht finde, kann ich mich bis zum Mittagessen mit dem Schälen beschäftigen.«

»In den Obstplantagen können sie sicher eine kaufen«, erklärte uns eine Frau und zeigte auf einen Hügel.

Gut zu hören! Anfangs war es noch ganz interessant, dem schmalen Holzsteg zu folgen, doch schon bald war es ziemlich ermüdend. Wir entfernten uns vom Strand und gingen auf den Berg zu. Der Steg war zu Ende und führte uns auf einer kleinen Straße auf festem Boden. Wir gingen wieder am Haus des Lehrers vorbei. Nicht weit davon überquerten wir einen Bach über eine große Betonbrücke. Der Bach kam aus einer Bergkette in weiter Ferne. Papa erklärte, auf seiner Karte sei ein Wasserfall nahe der Quelle des Baches im Wald eingezeichnet. Er schlug vor, dorthin zu wandern.

»Ich kann keine Jackfrüchte sehen, nur zu junge an den Bäumen«, sagte Mama. Nach der Brücke liefen wir eine Weile im Schatten. Riesige Bäume streckten ihre Äste über die Straße. Durch eine Öffnung im Laub konnten wir eine gelbe Pagode ausmachen, die sich über den Baumwipfeln in der Ferne gegen den blauen Himmel absetzte.

»Lass uns zum Tempel gehen«, sagte Mama zu Papa. »Dort könnte es interessantes Handwerk geben. Außerdem sind Tempelhöfe immer schön gepflegt, Anne und Jill könnten dort etwas spielen.«

Vor dem Tempel war eine große Wiese, umgeben von Mangobäumen mit wirklich großen Blättern. Ein

Glockenturm stand in der Mitte der Wiese. Wir sahen einen Mönch hinaufklettern, dann schlug er die große Glocke zwölf Mal.

»Zwölf Uhr mittags! Ich habe Hunger«, eröffnete ich.

»Dein Magen ist sehr pünktlich, Jill!«, lachte Mama.

»Ich nehme an, wir alle haben Hunger. Lasst uns zu der Hütte da vorne gehen, sieht aus wie ein Nudelstand«, sagte Papa. Wir überquerten die Wiese zur Hütte, die direkt am Flussufer stand.

Hier traf ich Ao.

Wir setzten uns auf die langen Holzbänke auf beiden Seiten des Tisches vor dem Essenstand. Es gab keine große Auswahl, doch der Laden sah sauber aus. Eine Frau rührte in ihrem Wok auf einem Gaskocher. Wir bestellten und warteten ungeduldig darauf, dass sie es kochte.

Ich fühlte, wie sich etwas Weiches und Kuscheliges an meinen Knöcheln rieb und sah hinunter. Und da war sie: ein Siamkätzchen, perfekte Korat-Züchtung, sah mich mit ihren gelben Augen an. Sie rieb sich noch immer an meinem Bein und bewegte ihren schokofarbenen Schwanz hin und her. Ich wollte sie gerne streicheln, doch wollte ich sie nicht verscheuchen. Also wartete ich geduldig und schließlich kletterte sie auf meinen Schoß und setze sich hin! Ich streichelte sie vorsichtig.

»Ao, komm hier rüber«, rief die Verkäuferin, als sie zwei Schalen mit Nudeln servierte. Ich war enttäuscht, dass unser Essen so schnell gekommen war.

Im Gebirgsfluss

Nach dem Essen überredete Papa uns, »noch ein wenig bergauf zu wandern«, also gingen wir über eine Holzbrücke am Tempel und durch eine Obstplantage. Dort standen nebeneinander lange Reihen von Durianbäumen, ihre stacheligen Früchte hingen von den Ästen. Ich mochte Durian ganz und gar nicht. Die Früchte sahen genauso gefährlich aus, wie sie übel rochen. Ich wollte keine essen und schon gar nicht wollte ich, dass mir eine auf den Kopf fällt. Mir war unerklärlich, wie einige Leute, inklusive Mama, die Frucht mögen konnten.

Wir folgten einem Pfad durch ein paar Obstgärten und Kautschukplantagen. Ich wusste nicht, wonach Papa suchte. Immer wollte er »mal sehen wie das ist«, »sich umsehen«, oder »hier mal schauen«. Es wurde zum herumlaufen zu heiß. Mama sagte, sie denke darüber nach im Fluss baden zu gehen.

»Wir haben unsere Badeanzüge nicht dabei«, bemerkte Anne.

»Dann gehe ich eben so rein«, lächelte Mama, »wen störts?« Sie trug dieselben kurzen Jeanshosen wie in den letzten drei Tagen.

»Mich stört es. Da schwimmen noch ein paar andere Kinder im Fluss. Ich kann sie hören.«

»Der Fluss ist lang genug, wir müssen nicht mit den anderen zusammen baden gehen«, erwiderte Papa.

Der Strom war wirklich sehr lang, aber auch sehr flach. Es gab nur einen Platz, an dem das Wasser tief genug zum Schwimmen war. Genau dort spielten bereits fünf Kinder im Wasser. Sie spielten Krokodil: Einer war das Krokodil. Er paddelte mit den Füßen und versuchte, die anderen zu fangen.

Mama zog ihre Hose und ihr T-Shirt aus und ging hinein. Die Kinder kicherten. Papa folgte ihr in seinen Unterhosen. Die Kinder lachten und beobachteten ihn.

»Komm schon, Jill, willst du nicht ins Wasser?«, rief Papa.

Das Wasser sah kühl aus, obwohl es nicht besonders klar war. Die Kinder wirkten nett und ich entschloss mich dazu, ins knietiefe Wasser zu waten um mich abzukühlen. Ich konnte mein Gesicht beim Schwimmen noch nicht über Wasser halten und wollte auf keinen Fall etwas von dem Wasser schlucken. Trotzdem ging ich noch etwas weiter hinein. Langsam reichte das Wasser bis an meine Schultern und es wurde schwierig, über Wasser zu bleiben.

»Geh und hol dir die Kokosnuss, dann kannst du über Wasser bleiben«, schlug Mama vor und zeigte auf eine getrocknete Kokosnuss am anderen Ufer. »Ich hole sie«, bot sich ein Mädchen an in der Annahme ich können nicht schwimmen.

Es machte riesig Spaß, sich mit beiden Händen an der Kokosnuss festzuhalten und mit den Beinen zu paddeln. Ich legte mein Kinn auf die Nuss und mein Gesicht blieb völlig trocken. Mama erzählte uns sie habe als kleines Mädchen in einem Teich schwimmen gelernt, in dem sie sich an zwei zusammengebundene Kokosnüsse geklammert hatte. Ihr Bruder sei von hinten heran geschlichen und habe die Nüsse weggezogen, so dass Mama im Teich zappelte um sich über Wasser zu halten. So habe sie schwimmen gelernt. Ich beschloss, nicht auf diese Weise schwimmen lernen zu wollen.

»Komm schon, Anne, es ist schön kühl hier drin!«, riefen wir ihr zu. Doch sie saß nur am Ufer ohne zu lächeln. Ohne ihren Badeanzug ging sie nicht ins Wasser und verpasste eine Erfrischung.

Nach einer Weile vergas ich, mein Gesicht trocken zu halten und meine Haare wurden ganz nass. Ich schwamm ein Stückchen flussaufwärts, wo das Wasser etwas kühler war – aber auch tiefer. Ich kletterte auf einen kleinen Felsen und setzte mich. Von dort konnte ich Fischschwärme erkennen. Ein paar von ihnen sprangen aus dem Wasser, ganz in meiner Nähe. Ich stellte mir vor, sie hätten keine Angst vor mir und ich könnte mich ihrem Schwarm anschließen.

Die Familie des Lehrers

Am Nachmittag kehrten wir zurück zu Kru Chats Haus. Seine Tochter begrüßte uns: »Mein Vater kommt jeden Moment zurück«, sagte sie, »bitte, wartet doch im Haus«.

Mama und Papa setzten sich auf eine kleine Bank auf der Veranda. Anne und ich setzten uns neben sie auf den Boden. Das Zimmer zur Veranda war sehr groß. Die rechte Seite sah aus wie ein Schneiderzimmer und auf der anderen Seite war ein kleiner Laden. Es gab alle möglichen getrockneten Früchte, Konservendosen und Gewürze, Petroleum, Waschmittel, Stoffe, Moskitonetze und Bettdecken. Außerdem verkauften sie Schreibwaren für Schulkinder.

Mama sah den Kühlschrank: »Sicher gibt es auch Getränke zu kaufen?«

»Hatten wir mal«, antwortete die Tochter des Lehrers. Sie hatte uns ihren Namen genannt, Jo. »Aber seit der Kühlschrank seinen Geist aufgegeben hat, verkaufen wir keine Getränke mehr.«

Drei breite Stufen am Ende des großen Zimmers führten in ein anderes Zimmer. Ich sah unser Gepäck in einer Ecke dieses mittleren Raumes. Ein Junge in meinem Alter saß an der Seite und schaute fern.

»Papa, du hast gesagt es gibt hier keinen Strom. Wie kommt es dann, dass der Fernseher läuft?«, fragte ich.

»Er hängt an einer großen Batterie«, antwortete er und zeigte auf eine Autobatterie unter dem Fernsehtisch.

Es gab keinen Strom auf der Insel, und doch durfte der Junge mit einer Batterie fernsehen. Wir hatten reichlich Strom in Bangkok, aber unsere Eltern wollten einfach keinen Fernseher für zuhause kaufen. Das war nicht fair!

Am Haus kamen Leute vorbei. Einige von ihnen kamen um bei Jo einzukaufen, andere gingen nur langsam vorbei, um uns neugierig anzustarren. Ein Mann mit einer Mappe tauchte auf, kam herein und zog seine Schuhe aus. Er schien sich auszukennen.

»Sawasdi, wie geht es euch?«, fragte er Jo und ihren Cousin, Deng. Dann drehte er sich um, um uns zu grüßen und sprach Papa auf Englisch an. Papa antwortete in Thai: »Sawasdi krap«.

»Darf ich mich vorstellen? Mein Name ist Neo und freue mich, Farang zu treffen. Ich möchte englisch lernen, können Sie mich unterrichten? Ich mag Sprachen, auch Thai, und ich schreibe Gedichte.«

»Gedichte?«, unterbrach Mama ihn und Neo holte tief Luft. »Was für Gedichte schreiben sie? Darf ich welche sehen?«, fragte sie und schielte auf seinen Ordner.

Neo zeigte ihr seinen Ordner nicht, aber er begann, in perfekten Reimen zu sprechen. Jo und Deng kicherten. Anne und ich mussten lachen, immer wenn er ein lustiges Wort in seine Reime packte.

Mama fragte ihn ernst: »Haben sie ihre Verse an eine Zeitschrift geschickt?«

»Ich habe es ein paar Mal versucht, aber nie eine Antwort erhalten. Niemand nahm meine Reime bisher so ernst wie Sie«, antwortete Neo.

»Bitte, lassen Sie mich ihre Verse sehen«, fragte Mama noch einmal.

Neo öffnete seine Mappe und gab ihr ein Blatt Papier. Nach einer Weile sah Mama ihn an.

»Mir gefallen Ihre Gedichte, sie sind sehr interessant. Wenn Sie sich mehr Mühe mit der Rechtschreibung geben würden, wären sicher viele Leute an Ihren Versen interessiert.«

»Nun ja«, begann Neo:

»Weil ich zur Schule nie ging,

Nur der Dorfdepp ich bin.

Eine gute Arbeit und Geld im Überfluss,

Hätt ich mit einem Schulabschluss.

So aber nimmt meine Verse keiner wichtig,

Die sagen nur: Der tickt nicht richtig!«

Ein Motorrad hielt vor der Veranda. »Das sind meine Eltern«, sagte Jo. Wir begrüßten uns gegenseitig mit einem Wai, indem wir unsere Handflächen zusammen legten und vor die Brust hielten. Der Lehrer konnte unseren Wai nicht ordentlich erwidern, da er das Motorrad mit einer Hand halten musste. Es war beladen mit Körben und Papiertüten und Plastiktüten hingen auf beiden Seiten vom Lenker. Seine Frau, Khun Sawang, hielt außerdem noch ein paar Einkaufstüten in der Hand. Mama und Papa stellten sich vor und dann redeten und redeten sie.

Ich hörte, wie Kru Chat sagte: »Kein Problem, Sie müssen heute Nacht bei uns bleiben. Morgen können sie das Dorftaxi direkt von hier bis zur Fähre nehmen.«

Sie gingen hinein um sich umzuziehen. Als Kru Chat zurückkam, redeten er und Papa weiter. Papa holte seine Landkarte heraus und stellte ihm viele Fragen. Sie beschlossen, zum Wasserfall zu gehen. Mama wollte mitgehen, aber ich wollte nicht mehr laufen und auch Anne hatte genug. Ich sah, wie Mama ihre Wanderstiefel anzog um mitzugehen.

»Mama, kannst du nicht hier bei uns bleiben?«, fragte ich in der Hoffnung sie umzustimmen.

»Nun, Jill«, zögerte sie. Doch Khun Sawang und Jo sagten, sie solle sich keine Sorgen machen. Sie würden gut auf uns aufpassen.

Sie pumpten Wasser aus dem Brunnen in einen Trog aus Zement im Badezimmer. Das Haus hatte ein richtiges Badezimmer und obwohl es keine hübschen Kacheln und Tapeten hatte wie unseres, war es ein Genuss für uns.

»Nehmt soviel Wasser wie ihr wollt«, ermunterte uns Khun Sawang. Anne und ich beschlossen, zu baden und sogar unsere Haare zu waschen.

Anne half mir, meine Kleider auszusuchen und mein Handtuch im Gepäck zu suchen. Wenn Mama dabei war, ging Anne mir oft auf die Nerven. Sie kritisierte mich gern und erzählte Mama immer, wenn ich etwas falsch machte. Doch wenn wir alleine waren, konnte sie sehr nett zu mir sein. Sie bürstete mir sogar die Haare.

»Meinst du, Mama ist aufgefallen, dass ich mir seit drei Tagen nicht die Haare gekämmt habe?«, fragte ich Anne.

»Wahrscheinlich. Aber ich glaube nicht, dass es sie stört. Sie selbst hat seit drei Tagen dieselben Hosen an. Ich denke, viele Hausregeln wurden auf unserer Reise einfach ausgesetzt!«, antwortete Anne.

»Kommt, kleine Schwestern«, rief uns Jo, »ich zeige euch unsere Hühner und Kücken.« Im Hinterhof hielten sie zwölf Hühner.

»Zusammen legen sie bis zu zehn Eier am Tag«, erzählte Jo. »Ein paar davon essen wir, der Rest wird verkauft. Hier sind die kleinen Kücken, die Mama letzte Woche vom Festland mitgebracht hat.«

Es wurde Zeit für die Hühner und ihre Kleinen, in den Stall schlafen zu gehen. Sonst würden sie Schlangen und anderen Räubern ausgeliefert sein. Wir halfen Jo, die Tiere einzufangen. Es machte riesig Spaß und ich wünschte, wir hätten auch welche zu Hause.

Als wir wieder ins Haus gingen, zeigte Khun Sawang uns ihre Kätzchen. Drei süße weiße Kätzchen! Die kleinen Dinger blieben den ganzen Tag in Jos Zimmer, bis der Laden geschlossen hatte. Danach durften sie hinaus und rannten unter einen Stuhl, um uns von dort zu beobachten. Eine nach der anderen kam heraus und lief über den Boden des mittleren Zimmers. Ein großer Käfer landete auf den Dielen. Ein Kätzchen sprang ihn an, doch konnte es ihn nicht greifen. Mit der Pfote schob sie den Käfer über den Boden und versuchte immer wieder, ihn zu fassen. Der Käfer war braun und mindestens fünf Zentimeter lang. Er hatte Scheren wie ein Krebs an seinem Kopf.

Ich fand ein Stück Schnur und wedelte es vor den Kätzchen hin und her. Sie versuchten, die Schnur zu fangen, doch bevor sie es schaffen konnten, zog ich es schnell zurück. Ab und zu fing eine von ihnen die Schnur, aber dann zog ich so fest, dass sie loslassen mussten: Das Spiel ging wieder von vorne los.

»Komm, Jill, wir machen einen Ausflug«, unterbrach mich Anne. Ich drehte mich um und sah, wie uns Deng von draußen zu sich winkte.

»Ich muss einen Karton Fischsoße zu einem Haus am Pier liefern«, sagte er, »wollt ihr mitkommen? Ihr beide dürft euch auf den Karren setzen, ich schiebe«, bot er an. Was für ein schöner Tag für uns!

Die Jackfrucht-Fahrt

»Jill, aufwachen. Anne, Zeit aufzustehen.«

Es war noch dunkel als Mama uns weckte. Ich wusste erst nicht, wo ich war. Wir waren nicht in unserem Zelt. Das Bett war gemütlich, eine richtige Matratze. Ich öffnete die Augen und sah ein Moskitonetz über uns hängen. Zwei Kätzchen rannten vorbei. Eine hüpfte hoch und versuchte, das Stück Schnur zu erreichen, mit dem das Netz am Bettpfosten geknotet war. Nun wusste ich wieder: wir waren im Haus von Kru Chat.

»Beeilt euch, oder wir verpassen unsere Mitfahrgelegenheit«, sagte Mama. Ich hatte ohnehin keine Wahl. Papa baute bereits mein Netz ab. Mama faltete unsere Decken zusammen und verstaute die Schlafsäcke in unseren Taschen. Für mich gab es nichts zu tun. Ich war in kurzen Hosen und T-Shirt ins Bett gegangen und Mama hatte mir schon vor dem Schlafengehen beim Packen geholfen. Ich war startklar.

Kru Chat kam aus seinem Zimmer und kochte uns einen Kaffee. Anne und ich waren gerade fertig mit unserem heißen Kakao, als wir ein Auto draußen auf der Straße hupen hörten. In der Morgendämmerung sah ich, wie ein alter Jeep vor dem Haus hielt. Er sah seltsam aus, da seine Hintertür fehlte. Auf der Pritsche war an jeder Seite eine lange Sitzbank angebracht. Es waren bereits acht Leute im

Jeep, wie sollten wir da noch rein passen? Es sah nicht so aus als gäbe es noch ausreichend Platz für uns.

Papa schien sich aber keine Sorgen zu machen. Er hob unsere Taschen auf das Dach des Jeeps. Wir bedankten uns bei Kru Chat und Khun Sawang und verabschiedeten uns. Dann suchten wir uns Platz zum Sitzen. Anne sollte zuerst einsteigen, dann setzte Papa sich auf den letzten freien Platz und nahm mich auf seinen Schoß. Mama ging um den Wagen herum und quetschte sich neben die Frau, die auf dem Beifahrersitz saß. Sie schlug die Tür zu und der Jeep fuhr los.

Nach ein paar Minuten wurden wir langsamer und fuhren auf eine Kreuzung zu, an der zehn weitere Leute dem Fahrer winkten, damit er anhielt.

»Nein, die kommen nicht mehr mit«, flüsterte ich Anne zu. Aber sicher versuchten sie, auch noch einzusteigen. Sie wollten in Salak Kok ein Boot nehmen, um ebenfalls ans Festland zu fahren.

Zwei junge Männer kletterten aufs Dach. Zwei andere warfen ihnen Jackfrüchte zu, eine nach der anderen. Eine ältere Frau beobachtete sie dabei argwöhnisch. »Vorsichtig!«, rief sie, »lasst sie nicht fallen!« Scheinbar hatten die Männer auf dem Dach alle Früchte gefangen, denn bis auf zwei waren nun alle verschwunden.

»Jill, willst du vorne bei mir sitzen?« Ich war froh bei Mama sitzen zu dürfen. Ich sprang von der Pritsche und setzte mich vorne auf ihren Schoß. Ich drehte mich gerade noch rechtzeitig um, um zu sehen wie die Frau mit den letzten beiden Jackfrüchten beschwerlich in den Jeep kletterte. Sie grinste Papa breit an und quetschte sich in die kleine Lücke neben ihm. Zwei weitere Männer und ein kleines Mädchen wollten auch noch mit, doch es war kein Platz mehr. Papa ließ das Mädchen auf seinem Schoß sitzen, und die beiden Männer stiegen auf. Sie blieben im Gang stehen und steckten ihre Köpfe raus über das Dach, während sie sich am Türrahmen festhielten.

»Glück für uns, dass nur sechs Leute eingestiegen sind. Wir sollten dankbar sein, dass wir sitzen können!«

Der Jeep kroch die hügelige, staubige Piste hinauf. Links von mir konnte ich den Berg sehen, rechts unten war die Küste. Ich drehte mich um und sah zu Anne. Ich konnte sehen, dass sie sich Mühe gab, geduldig zu bleiben. Doch als der Jeep wieder hielt, um noch zwei Männer aufzunehmen, jeder mit drei Jackfrüchten, wurde ihr Gesicht immer länger.

Die Straße wurde immer holpriger und steiler. Die Besitzer der Jackfrüchte riefen alle dem Fahrer zu: »Langsamer, verlier nicht die Früchte!«

Der Jeep klapperte weiter. Jeder versuchte, seine Früchte am umherrollen zu hindern. Schließlich waren wir über den Berg und der Jeep kroch langsam den Abhang hinunter. Alle Früchte knallten w-u-m-m-s von hinten gegen unseren Sitz.

»Langsam! Langsam!« Die große Frau rief am lautesten.

»Die Früchte werden noch alle zermatscht!«

Zurück aufs Festland

Vor einem Fischerdorf blieb der Jeep endlich stehen.

Alle Passagiere standen auf.

»Sind wir in Salak Kok?«, fragte Mama den Fahrer.

»Ja«, antwortete er, »da hinten kommt das Boot«, und zeigte auf eine große Fähre am Horizont.

Wir holten unsere Taschen, sie waren ganz staubig von der Fahrt, und folgten einem Steg auf Stelzen. Ein großes weißes Boot wartete auf uns, neu und stabil. Viel größer als das Boot, das uns auf die Insel gebracht hatte. Rund zwei Dutzend Leute saßen bereits darin.

»Sollen wir uns auf das Dach setzen?«, ärgerte Mama Anne. Wir sahen zu, wie die Leute tonnenweise Jackfrüchte auf das Bootsdach hievten. Anne fand Mamas Witz offensichtlich nicht lustig.

»Sieh dir meine Beine an«, jammerte sie, »überall habe ich klebrigen Saft! Die Haut der Früchte ist hart und stachelig und sie sind dauernd an meine Beine gestoßen.«

Wir luden unsere Habseligkeiten vorne in das Boot und Papa setzte sich neben die Taschen.

»Du verdienst den besten Sitz, Anne«, sagte Mama. Obwohl es nicht viel ausmachte, wo wir saßen: Es gab genug Platz für alle. Ich fühlte die leichte Brise, die stärker wurde, als das Boot den Anleger verließ. Wir stotterten die Mangrovenküste entlang und verursachten große Wellen, die gegen das Ufer schlugen.

»Mama, warum sind hier keine Schlammspringer?«, fragte ich. Ich sah ihnen gerne zu, wie sie lustig durch die Mangroven flutschten.

»Es ist Flut«, erklärte sie mir, »sie kommen nur bei Ebbe heraus, wenn das Wasser niedrig steht.«

Ich merkte gleich, dass es ein Fehler war, mit Mama auf Thai zu sprechen. Sofort wurden wir das Ziel von Fragen der anderen Mitreisenden.

»Die Kleine kann Thai sprechen!«

»Ist der Farang dein Papa?«

»Sie sieht aus wie ein Püppchen!«

Und natürlich: ›Ma jak nai‹ und ›jai pai nai‹. Diese Fragen schon wieder! Ich war erleichtert, als das Boot endlich Trat erreichte.

Als wir den Pier betreten, lächelte uns ein netter Mann zu, nahm Mamas Rucksack und setzte uns in seinen Pritschenwagen. Mama hob mich auf die Pritsche und half dann Papa mit dem Rest unseres Gepäcks.

»Wie viel für die Fahrt in die Stadt?«, fragte Mama den Fahrer.

»Was? Ich dachte, die Fahrt ist im Preis für das Boot enthalten?« sagte Papa überrascht.

»Schon, aber müssen wir ihn nicht bis in die Stadt bezahlen, um von dort ein Taxi zurück zum Auto zu nehmen?«, fragte Mama verunsichert.

»Nein, wir müssen nicht den ganzen Weg bis in die Stadt fahren. Wir nehmen einfach einen Bus bis zur Kreuzung und von dort ein Taxi«, erklärte Papa.

Wir luden unsere Taschen wieder aus dem Wagen, sehr zur Enttäuschung des Fahrers. Dann suchten wir unseren Bus und stiegen schließlich ein.

»Wir sind da«, sagte der Busschaffner, »von hier fahren Busse bis zur Kreuzung nach Baan Thammachart, und von dort könnt ihr ein Taxi nehmen zum Aruni Pier«.

Der Bus fuhr weiter und da waren wir, mitten auf der Schnellstraße. Die Sonne wurde langsam heißer. Es gab kaum Verkehr. In der Nähe sahen wir zwei Ladengeschäfte, doch ihre Fensterläden waren noch verschlossen. Die Schilder für Erfrischungsgetränke zu sehen, aber keine kaufen zu können machte mich noch durstiger. Ich hätte außerdem gerne eine Kleinigkeit gegessen. Wir gingen hinüber zu einem der Läden und setzten uns an den Tisch davor. Mama gab mir ein paar Kekse und eine Orange. Wir konnten nichts tun außer zu warten. Ich schlief jeden Moment ein.

Nachdem eine halbe Ewigkeit vergangen war, sprang Mama plötzlich auf und rannte zur Straße. Sie winkte mit beiden Armen einem blauen Pritschenwagen zu, der die

Straße herauf gefahren kam. Eine junge Frau stieg ab und sprach mit Mama. Gleichzeitig erklärte sie dem Fahrer etwas, indem sie ihm mit einer Hand Zeichen gab. Mama bedeutete uns, zum Auto zu kommen. Sie sagte, wir könnten den Wagen direkt bis zum Pier mieten. Die Frau sagte, Mama solle lieber vorne beim Fahrer sitzen, da sie selbst den Weg zum Anleger nicht so gut kenne. Da bemerkte ich, dass die Frau nur einen Arm hatte. Sie trug eine kurzärmlige Bluse. Ihre Bluse war weiß und sauber, doch der linke Ärmel war leer.

»Kannst du dem Fahrer nicht erklären, wohin wir wollen?«, fragte Papa.

»Nein, er ist taub«, antwortete Mama. Sie setzte sich auf den Beifahrersitz, während Papa, Anne und ich hinten auf der Pritsche an der frischen Luft saßen.

Durch das Rückfenster sah ich, wie Mama versuchte mit Handzeichen mit dem Fahrer zu ›reden‹. Ich wusste gar nicht, dass sie Zeichensprache konnte. Der Fahrer öffnete das Handschuhfach und holte ein Fotoalbum heraus. Er zeigte ihr viele Fotos. Mama erzählte Papa später, dass der Mann sich damals als Freiwilliger gemeldet hatte, um mit den Amerikanern im Vietnamkrieg zu kämpfen. Eine Handgranate ist vor seinem Gesicht explodiert und er hatte für viele Tage das Bewusstsein verloren. Als er wieder aufwachte, konnte er weder sprechen, noch hören.

»Wie hat er bloß seinen Führerschein bekommen?«, wunderte sich Papa. Mama sagte, sie beherrschte die Zeichensprache nicht gut genug um ihn zu fragen.

Der Fahrer war sehr berührt, als Mama ihn bezahlte und ihm sagte, er solle das Wechselgeld behalten.

»Ich habe die Fahrt mit ihm genossen«, sagte Mama, »er war froh, jemandem seine Geschichte erzählen zu können. Jemanden der richtig ›zuhören‹ konnte«. Und ich war froh, nicht immer die typischen Fragen beantworten zu müssen«, fuhr sie fort.

»Welche Fragen?«, wollte Papa wissen.

»Ma jak nai!«,

»Ja pai nai!«, riefen Anne und ich im Chor.

Koh Chang gestern und heute

Unser Boot am Aruni Pier.

Die leere Sapparot Bucht vor 20 Jahren.

Die letzten Meter zur Insel führten damals durchs Wasser.

Willkommensgruß an der Autofähre in der Sapparot Bucht.

Zeltplatz in Baan Klong Son.

Als White Sand Beach noch den Fischern gehörte.

Hotels am White Sand Beach von heute.

Einsam am White Sand Beach …

… ist es schon lange nicht mehr.

Ein typisches Fischerdorf vor 20 Jahren …

… und heute, noch immer auf Stelzen.

Die Salak Phet Bucht damals …

… und mit Schnellboot und Bungalow.

Die Salak Phet Bucht ist heute weniger touristisch als die Westküste.